TEL QUEL

ŒUVRES DE PAUL VALÉRY

nrf

PAUL VALÉRY

de l'Académie Française

TEL QUEL

★

CHOSES TUES — MORALITÉS
LITTÉRATURE — CAHIER B 1910

nrf

GALLIMARD

Quarante et unième édition

AVIS DE L'ÉDITEUR

Sous un titre aussi sincère qu'on le voudra, on a réuni dans le présent volume quatre petits recueils naguère séparément publiés : le Cahier B. 1910 ; Moralités ; Littérature *et* Choses tues.

Chacun d'eux contient à l'état d'aphorismes, de formules, de fragments ou de propos, voire de boutades, mainte remarque ou impression venue à l'esprit, çà et là, le long d'une vie, et qui s'est fait noter en marge de quelque travail ou à l'occasion de tel incident dont le choc, tout à coup, illumina une vérité instantanée, plus ou moins vraie. Vérité se dit bien souvent de l'effet immédiat que nous produit la forme ou le ton d'une parole : il ne s'agit point alors de cette valeur réelle de la parole qui ne paraît que par sa vérification.

Vérités ou non, les idées ou ombres d'idées ici rassemblées peuvent se ranger sous trois ou quatre chefs assez différents. L'Auteur eût préféré les offrir à présent bien ordonnées selon leur espèce, au lieu de les laisser mêlées comme elles sont. Ceux qui assimilent le désordre à la vie trouveront, sans doute, que l'ensemble est ainsi plus « vivant ». Mais on ne dissimulera pas qu'on eût mieux aimé sacrifier cet effet de vie à l'impression d'unité qui se dégage d'un dispositif où le semblable s'appuie au semblable. Cependant diverses circonstances n'ont pas permis de distribuer tous les petits éléments de ce livre dans l'ordre désirable, et l'on trouvera des sentences morales dans Littérature, *des apophtegmes littéraires dans* Moralités, *un peu de tout dans chaque partie. On y trouvera aussi des contradictions. Puisqu'il n'est pas de pensée qui s'en prive, et qu'on n'est pas ici en géométrie, leur présence statistique est presque de rigueur.*

Un second volume, à paraître on ne sait quand, réunira les autres recueils analogues à ceux-ci, qui ont été édités sous les titres : Rhumbs — Autres Rhumbs, — Analecta *et* Suite

CHOSES TUES

I

Peinture.

L'objet de la peinture est indécis.

S'il était net, — comme de produire l'illusion de choses vues, ou d'amuser l'œil et l'esprit par une certaine distribution *musicale* de couleurs et de figures, le problème serait bien plus simple, et il y aurait sans doute plus de belles œuvres (c'est-à-dire conformes à telles exigences définies) — mais point d'œuvres inexplicablement belles.

Il n'y aurait point de celles qui ne se peuvent épuiser.

☆

Je m'arrête devant ce tableau de *Vénus couchée* et d'abord je le regarde d'assez loin.

Ce premier regard me fait venir à l'esprit un mot que j'ai entendu souvent dire par Degas : *C'est plat comme la belle peinture !*

Mot difficile à commenter. Se comprend à merveille devant tel beau portrait de Raphaël. *Divine platitude* : point de trompe-l'œil ; point d'empâtements, point d'enrochements, de lumières accrochées ; point de contrastes intenses. Je me dis que la perfection ne s'atteint que par le dédain de tous les moyens qui permettent de renchérir.

Mes yeux se reprennent à voir. Je retrouve *Vénus couchée*. Ce tableau offre une blanche et pleine personne. Il est aussi une heureuse distribution de clair et d'obscur. Il est aussi un recueil de belles parties et de régions délicieuses : un ventre pur, une attache toute savante et séduisante de bras à l'épaule, une certaine profondeur de campagne bleue et or. Il est aussi un système de valeurs, de couleurs, de courbes, de domaines : image de contacts, présence de déesse, acte de l'art... S'il n'était tant de choses à la fois, point de *poésie*.

Cette pluralité est essentielle. A elle s'oppose la pensée tout abstraite qui suit son fil et qui n'est que ce qu'elle suit. Il ne faut point qu'elle se perde : elle ne se retrouverait jamais.

Mais l'artiste assemble, accumule, compose *au moyen de la matière* une quantité de désirs, d'intentions et de conditions, venus de tous les points de l'esprit et de l'être. Tantôt il pensait à son modèle ; tantôt à ses mélanges, à ses huiles, à ses tons ; tantôt à la chair même, et tantôt à la toile qui buvait. Mais ces attentions si indépendantes s'unissaient nécessairement dans l'acte de peindre ; et ces moments distincts, épars, suivis, repris, suspendus, échappés, devenaient *tableau* devant lui.

☆

Art est donc cette combinaison *extérieure* d'une diversité vivante et agissante dont les actes se condensent, se rencontrent dans une matière qui les subit ensemble, qui leur résiste, qui les excite, qui les transforme ; qui trompe, irrite, et parfois comble son homme.

Chacun des mouvements de celui-ci ayant son but particulier et simple, chacun étant définissable et correspondant à une abstraction, — leur ensemble toutefois tend à cet étrange résultat de retrouver le concret, de restituer à l'artiste, premier spectateur, la plénitude, la puissance multiple de tout objet réel, la diversité et même l'infinité simultanée de quelque *chose*, — par l'artifice des vertus sensorielles et symboliques de la vision des couleurs.

☆

Les œuvres de l'art donnent l'idée d'hommes plus précis, plus maîtres d'eux-mêmes, de leurs yeux, de leurs mains, plus différenciés et articulés que ceux qui regardent l'ouvrage fait, et qui ne voient pas les essais, les repentirs, les désespoirs, les sacrifices, les emprunts, les subterfuges, les années, et enfin les hasards favorables — tout ce qui disparaît, tout ce qui est masqué, dissipé, résorbé, tu et nié, tout ce qui est conforme à la nature humaine et contraire à la soif de merveilleux, — laquelle est toutefois un instinct essentiel de cette nature.

☆

La peinture est sans doute l'art dans lequel la sensation de l'impuissance nous est le plus facilement donnée par l'artiste.

— Voyez ce pied, lui dis-je, peut-on marcher avec ce pied ?

— Ce n'est pas ce que je cherche, me répond-il.

— Et pourtant vous ne l'avez pas trouvé.

☆

Le goût est fait de mille dégoûts.

En toute chose inutile, il faut être divin. Ou ne point s'en mêler.

☆

La musique m'ennuie au bout d'un peu de temps, et d'autant plus court qu'elle a eu plus d'action sur moi. C'est qu'elle vient gêner ce qu'elle vient d'engendrer en moi, de pensées, de clartés, de types et de prémisses.

Rare est la musique qui ne cesse d'être ce qu'elle fut ; qui ne gâte et ne traverse ce qu'elle a créé, mais qui nourrisse ce qu'elle vient de mettre au monde, en moi.

J'en conclus que le vrai connaisseur en cet art est nécessairement celui auquel il ne suggère rien.

☆

Le ballet, jusqu'ici, est presque le seul art de la *succession* des couleurs.

C'est donc à lui qu'il convient de s'adresser pour traiter une aurore ou un coucher de soleil.

☆

Jugements.

Une Exposition de peinture. Un tableau et deux hommes devant lui.

L'un, à demi penché sur la barre, parle, explique, éclate. L'autre est muet. On devine à sa courtoisie qu'il est absent. Il tend l'oreille et refuse l'esprit. Il est au Bois, à la Bourse, ou chez une dame ; mais il est impossible d'être plus loin avec plus de formes et de présence sensible.

Une manière d'artiste, à deux pas derrière eux, me regarde ; son œil m'adresse tout le mépris de ces explications sonores qui s'entendent d'assez loin.

Et moi, comme je suis au premier plan de cette petite scène, que je vois à la fois le tableau, les amis, le peintre dans leur dos ; que j'entends le parleur ; que je lis le regard du témoin qui le juge, — je crois que je contiens les uns et les autres, je m'attribue une conscience d'ordre supérieur, uns juridiction suprême ; je bénis et condamne tout le monde : *Misereor super turbam...*

Mais bientôt une réflexion me fait fuir cette situation divine d'où je contemplais des étages de jugements relatifs. Je sens trop que le hasard m'y avait placé. Je ne sais enfin que penser... Rien ne rend plus pensif.

II

Les œuvres de l'art le plus exquis, les subtilités du dessin, la dégustation des finesses et des concordances d'un langage parfait, les délicatesses de certaines ambiguïtés mathématiques, les précisions que l'on peut atteindre dans l'examen de l'âme — tout ceci est affaire privée entre quelques personnes. Otez-les, — qui se doutera d'une perte si grande ?

☆

Les belles œuvres sont filles de leur forme, *qui naît avant elles.*

☆

La valeur des œuvres de l'homme ne réside point dans elles-mêmes, mais dans les développements qu'elles reçoivent des autres et des circonstances ultérieures.

Nous ne savons jamais d'avance si telle œuvre *vivra*... Elle est un germe qui est plus ou moins viable ; il a besoin des circonstances, et le plus faible peut être favorisé par elles.

☆

Certains ouvrages sont créés par leur public. Certains autres créent leur public.

Les premiers répondent aux besoins de la sensibilité naturelle moyenne. Les seconds créent des besoins artificiels qu'ils satisfont en même temps.

☆

Rien de plus original, rien de plus *soi* que de se nourrir des autres. Mais il faut les digérer. Le lion est fait de mouton assimilé.

☆

Le très grand art est celui dont les imitations sont légitimes, dignes, supportables ; et qui n'est pas détruit ni déprécié par elles ; ni elles par lui.

☆

Peur du ridicule, — Terreur du banal, — Être

montré au doigt ; n'être pas remarqué. — Deux abîmes.

☆

Nouveauté. Volonté de nouveauté.

Le nouveau est un de ces poisons excitants qui finissent par être plus nécessaires que toute nourriture ; dont il faut, une fois qu'ils sont maîtres de nous, toujours augmenter la dose et la rendre mortelle à peine de mort.

Il est étrange de s'attacher ainsi à la partie périssable des choses, qui est exactement leur qualité d'être neuves.

Vous ne savez donc pas qu'il faut donner aux idées les plus nouvelles je ne sais quel air d'être nobles, non hâtées, mais mûries ; non insolites, mais existantes depuis des siècles ; et non faites et trouvées de ce matin, mais seulement oubliées et retrouvées.

☆

Le goût exclusif de la nouveauté marque une dégénérescence de l'esprit critique, car rien n'est plus facile que de juger de la nouveauté d'un ouvrage.

☆

Les œuvres *classiques* sont peut-être celles qui

— 19 —

peuvent se refroidir sans périr, sans se décomposer ; et la volonté de conservation, cachée dans l'idée de perfection et de forme achevée, serait intéressante à découvrir, à déceler dans les principes, les règles, les lois ou canons des arts dans les époques dites classiques.

☆

Nos disciples et nos successeurs nous en apprendraient mille fois plus que nos maîtres, si la durée de la vie nous laissait voir leurs travaux.

III

Littérature.

Un livre n'est après tout qu'un extrait du monologue de son auteur. L'homme ou l'âme se parle ; l'auteur choisit dans ce discours. Le choix qu'il fait dépend de son amour de soi : il s'aime en telle pensée, il se hait dans telle autre ; son orgueil ou ses intérêts prennent ou laissent ce qui lui vient à l'esprit, et *ce qu'il voudrait être* choisit dans *ce qu'il est.* C'est une loi fatale.

Que si tout le monologue nous était donné, nous serions capables de trouver une réponse assez exacte à la question la plus précise qu'une critique légitime puisse se proposer devant un ouvrage.

La critique, en tant qu'elle ne se réduit pas à opiner selon son humeur et ses goûts, — c'est-à-dire à parler de soi en rêvant qu'elle parle d'une œuvre, — la critique, en tant qu'elle *jugerait,* consisterait dans une comparaison de ce que l'auteur a entendu faire avec ce qu'il a fait effectivement. Tandis que la *valeur* d'une œuvre est une relation singulière et inconstante entre cette œuvre et quelque lecteur, le *mérite* propre et intrinsèque de l'auteur est une relation entre lui-même et son dessein : ce mérite est relatif à leur distance ; il est mesuré par les difficultés qu'on a trouvées à mener à bien l'entreprise.

Mais ces difficultés elles-mêmes sont comme une œuvre préalable de l'auteur : elles sont l'œuvre de son « idéal ». Cette œuvre intérieure précède, gêne, suspend, défie l'œuvre sensible, l'œuvre des actes. C'est ici que le caractère et l'intelligence traitent parfois la nature et ses forces comme l'écuyer traite le cheval.

Une critique elle-même idéale prononcerait uniquement sur ce mérite, car on ne peut exiger de quelqu'un que d'avoir accompli ce qu'il s'était proposé d'accomplir. On ne peut juger un esprit que selon ses propres lois, et presque sans intervenir en personne, comme par une opération indépendante de celui qui opère, car il ne s'agit que de rapprocher un ouvrage et une intention.

Vous vouliez faire un certain livre ?

— L'avez-vous fait ? Quel fut votre dessein ?
— Entendiez-vous rejoindre une haute pensée, ou quelque avantage sensible : une victoire dans l'opinion, un bon succès d'argent ? Peut-être un objet indirect ; peut-être ne visiez-vous que peu de personnes de vous connues, et peut-être même une

seule que vous pensiez atteindre par le détour d'un ouvrage public ?...

Qui vouliez-vous divertir ? — Qui séduire, qui égaler, qui rendre fou d'envie, quelle tête laisser pensive et quelles nuits hanter ? Dites, seigneur Auteur, est-ce *Mammon*, fut-ce *Démos, César,* serait-ce *Dieu* que vous serviez ? *Vénus,* peut-être, et peut-être un peu tous ?

Mais voyons vos moyens, etc.

☆

Écrire *purement* en français, ou dans quelque autre langue, c'est une illusion d'après les savants. Je ne suis pas tout à fait de leur avis. L'illusion consisterait à croire qu'il existe une pureté essentielle et définie du langage... définie par des caractères sensibles et incontestables pour tous. Mais un langage est une création statistique et continuée. Chacun y met un peu de soi, l'estropie, l'enrichit, le reçoit et le donne à sa guise, moyennant quelques égards... La nécessité de la compréhension mutuelle est la seule loi qui modère et retarde son altération ; et cette altération est possible à cause de la nature *arbitraire* des correspondances de signes et de sens qui le constituent. Un langage peut à chaque instant être assimilé à un système de conventions, inconscientes pour la plupart, mais dont on constate quelquefois le mode d'institution, comme il arrive toutes les fois que nous apprenons un mot nouveau.

Jusqu'ici point de pureté, mais des phénomènes assez désordonnés, dominés seulement, ou restreints dans leurs écarts, par le besoin des échanges, l'automatisme des individus et leurs tendances à l'imitation.

Mais il peut exister, — et il existe — une pureté conventionnelle, qui pour être conventionnelle n'est pas sans quelque vertu. Cette pureté implique d'abord la *correction*, qui est la conformité aux conventions *écrites* (dont la connaissance et l'usage définissent les personnes *cultivées*). Plus subtiles sont les autres conditions de ce langage pur et volontaire auquel tout le monde n'est pas sensible ; je ne vais point les énumérer. Ce sont des abstentions dont les raisons sont difficiles à éclaircir ; certains « effets » desquels on se prive ; certaine cohérence exquise à poursuivre dans l'expression, et un souci constant d'articuler nettement les membres d'une phrase et les phrases d'un paragraphe, les uns avec les autres.

Mais il est des hommes dont l'oreille, toute saine qu'elle est, ne distingue pas les sons d'avec les bruits.

... Écrire purement en français, c'est un soin et un amusement qui récompense quelque peu l'ennui d'écrire.

☆

La syntaxe est une faculté de l'âme.

☆

On a trop réduit la connaissance de la langue
à la simple mémoire. Faire de l'orthographe le
signe de la culture, signe des temps et de sottise.

Mais c'est la *manœuvre* du langage qui importe, l'enchaînement des actes, l'acquisition de
l'indépendance des mouvements de l'esprit ; et
déliés, la liberté de leur composition dans le discours...

La syntaxe est un système d'habitudes à
prendre qu'il est bon de raviver quelquefois et de
rajuster en pleine conscience. En ces matières,
comme en toutes, il faut se soumettre aux règles
du jeu, mais les prendre pour ce qu'elles sont, ne
point y attacher une autorité excessive. Ne point
tirer vanité de se rappeler une quantité d'excep-
tions. Ne point oublier qu'au temps des plus
grands écrivains, les libertés étaient aussi bien plus
grandes. Leur langue était plus complexe, mieux
construite, plus « organisée » que la nôtre ; mais
je confesse qu'ils étaient assez divisés sur la con-
cordance des temps, incertains quant aux accords,
inconstants et parfois surprenants dans leur manière d'accommoder les participes.

IV

Une œuvre de l'esprit est importante quand son existence détermine, appelle, supprime d'autres œuvres déjà faites ou non.

Elle sensibilise l'âme pour des œuvres toutes différentes. — Ou elle commence, ou elle termine quelque veine...

☆

Ce qu'il y a de plus humain.

Certains croient que la durée des œuvres tient à leur « humanité ». Ils s'efforcent d'être *vrais*.

Mais quelle plus longue durée que celle des œuvres fantastiques ?...

Le faux et le merveilleux sont plus *humains* que l'homme vrai.

☆

Triangulation.

Il y a des œuvres, illustres ou non, qui dans la

triangulation du monde spirituel sont à choisir de préférence aux autres, pour points de repère.

Je possède depuis longtemps une brochure de cinquante pages qui traite d'un sujet technique, et dans laquelle ce qu'on nomme *rigueur, profondeur, vue originale* sont constamment présentes et admirables.

Je compare mentalement à ce petit ouvrage, ce que je viens à lire ; — ou, plus exactement, — j'essaie de comparer ce qu'il suppose de force d'esprit, et surtout *d'exigence de l'auteur à l'égard de son esprit,* à ce que suppose ce que je viens de lire dans celui qui l'a écrit.

☆

Livres.

Presque tous les livres que j'estime et absolument tous ceux qui m'ont servi à quelque chose, sont livres assez difficiles à lire.

La pensée peut les quitter, elle ne peut les parcourir.

Les uns m'ont servi quoique difficiles ; les autres, parce qu'ils l'étaient.

☆

Mais des livres, les uns sont excitants et ne

font qu'agiter ce que je possède ; les autres me sont des aliments dont la substance se changera dans la mienne. Ma nature propre y puisera des formes de parler ou de penser ; ou bien des ressources définies et des réponses toutes faites : il faut bien emprunter les résultats des expériences des autres et nous accroître de ce qu'ils ont vu et que nous n'avons pas vu.

☆

Du regard de l'auteur sur son œuvre.
Tantôt cygne qui a couvé un canard ; tantôt la cane, un cygne.

☆

Tout poète vaudra *enfin* ce qu'il aura valu comme critique (de soi).

☆

Grandeur des poètes de saisir fortement avec leurs mots, ce qu'ils n'ont fait qu'entrevoir faiblement dans leur esprit.

☆

Il y a des gens étincelants, des parleurs de

l'ordre des parleurs, qui vous étonnent par la suite infinie des propos inattendus et l'éclat des effets de mots, des rencontres merveilleuses, dont il en est qui paraissent même *trop justes,* trop belles... et la quantité n'en est pas moins étonnante que l'efficace et que l'exquisité. Et toutefois, ce jeu et cette création si variés, si abondants, donnent enfin l'étrange impression de l'automatisme. On songe secrètement à un oiseau artificiel dans sa cage dorée qui développe ses roulades préétablies. Il y a *invention,* mais il y a *échappement.* La suite de tant de trouvailles donne l'idée d'une série mécaniquement engendrée.

☆

D'un écrivain moderne :
Ses accidents sont admirables, mais sa substance est peu de chose.

☆

L'inspiration est l'hypothèse qui réduit l'auteur au rôle d'un observateur.

☆

L'esprit souffle où il veut... Il incombe au spiritualisme et aux amateurs d'inspiration de nous expliquer pourquoi cet esprit ne souffle pas dans les bêtes et souffle si mal dans les sots.

☆

Si un oiseau savait dire précisément ce qu'il chante, pourquoi il le chante, et *quoi,* en lui, chante, il ne chanterait pas.

Il crée dans l'espace un point où il est ; il proclame sans le savoir qu'il joue son rôle. Il faut qu'il chante à telle heure. — Personne ne sait ce qu'il ressent lui-même de son propre chant. Il s'y donne avec tout son sérieux. Le sérieux des animaux, le sérieux des enfants qui mangent, des chiens amoureux, l'implacable, prudente physionomie des chats. On dirait que cette vie exacte ne laisse pas de place pour le rire, pour l'intervalle moqueur.

☆

Autre monde.

La fatigue fait voir enfin un monde *nouveau*. Le sommeil qui vient au théâtre, écrase les formes, rend les lumières atroces, les choses tremblantes, les voix surnaturelles et fausses.

On dirait que l'on a quitté le monde que l'on

voit encore, et que maintenant se perçoit son mouvement absolu, comme si l'on n'était plus sur le même bateau. On ne suit plus le voyage, on voit filer tout d'un bloc, le *corps de choses* sur lequel on était d'abord. On ne comprend plus.

... Ainsi, la littérature dans tel jeune esprit fatigué d'avoir en deux ans trop lu ou trop pressenti. Il accouche de raccourcis, de traits extrêmes ; et il ne peut plus supporter qu'une incohérence impatiente... C'est le *nouveau. Signe de fatigue.*

☆

Idée poétique est celle qui, mise en prose, réclame encore le vers.

☆

L'expression du sentiment vrai est toujours banale. Plus on est vrai, plus on est banal. Car il faut chercher pour ne l'être pas.

Toutefois si l'être est vraiment inculte, ou si le sentiment est assez fort pour faire perdre jusqu'à la banalité, jusqu'au souvenir de ce qui convient vulgairement à la circonstance, alors ce tâtonnement aveugle dans le langage peut donner *au hasard* des paroles qui seront belles.

☆

La perfection est une défense. Mettre la perfection entre soi-même et l'autre. Entre soi-même et soi-même.

☆

Il faut être léger comme l'oiseau et non comme la plume.

☆

Style « orné ». Orner un style.
Celui-là seul sait vraiment orner un style qui est capable d'un style nu et net.

V

L'être qui travaille se dit : Je veux être plus puissant, plus intelligent, plus heureux — que — Moi.

☆

Grand homme est celui qui laisse après soi les autres dans l'embarras.

☆

Les plus grands hommes sont des hommes qui ont osé se fier à leurs jugements propres, — et pareillement les plus sots.

☆

Un artiste veut faire envie jusqu'à la consommation des siècles.

☆

Ce que l'on écrit en se jouant, un autre le lit avec tension et passion.

Ce que l'on écrit avec tension et passion, un autre le lit en se jouant.

☆

La gloire est une espèce de maladie que l'on prend pour avoir couché avec sa pensée.

☆

Pour aimer la gloire, il faut faire grand cas des hommes ; il faut croire en eux.

☆

Un homme qui n'a jamais tenté de se faire semblable aux dieux, c'est moins qu'un homme.

☆

La statue et la gloire sont formes du culte des morts, qui est une forme de l'ignorance.

☆

Le véritable orgueil est le culte rendu à ce que

l'on voudrait faire, le mépris de ce que l'on peut, la préférence lucide, sauvage, implacable de son « idéal ». *Mon Dieu est plus fort que le tien.*

Dans toute religion, on entend par *faux dieux*, les dieux des autres ; qu'on dit *faux,* non pour leur refuser l'existence, mais la force ou puissance la plus grande, que l'on réserve au sien.

☆

La notion de « grand poète » a engendré plus de petits poètes qu'il n'en était raisonnablement à attendre des combinaisons du sort.

☆

L'homme se pare de ses chances.

☆

La plus forte et la plus nécessaire haine va à ceux qui sont ce que nous voudrions être : et d'autant plus âpre que cet état est plus attaché à la personne même. C'est un *vol* que de posséder la fortune ou le titre qu'un autre voudrait ; c'est un *assassinat* que de posséder le physique, ou l'intellect, ou les dons qui sont l'idéal de quelqu'un. On lui fait voir par un seul coup d'œil que cet idéal n'est pas chimérique et que la place est prise.

Mais ce jaloux oublie le grand et véritable avantage de ne pas avoir ce qu'on désire, qui est de le considérer d'un point interdit à qui le possède et de devoir s'instruire à le déprécier *pour vivre* ! Tandis que le possesseur le déprécie en tant qu'il l'a... Tout idéal est attaqué par les deux faces. Le système : *ils sont trop verts* et le système : *ils sont pourris,* conspirent contre lui.

☆

Nous n'aimons pas celui qui nous contraint à n'être pas nous-mêmes ; et nous n'aimons pas plus celui qui nous contraint à nous montrer nous-mêmes.

Mais nous aimons celui qui croit que nous sommes ce que nous voudrions être, et c'est le fond du plaisir de la gloire, dont il faut beaucoup de tristesse et de puissance combinées pour se défendre entièrement.

☆

Le comble de la vulgarité me semble être de se servir d'arguments qui ne valent que pour un public, — c'est-à-dire pour un spectateur ou auditeur réglé nécessairement sur le plus sot, — et qui ne résistent pas à un homme froid et seul. Mais ce qui dure, ne dure que par le consentement de ce dernier.

☆

Les attaques ne détachent de nous que ceux dont nous devons nous féliciter qu'ils s'en écartent ; soit qu'ils soient faits pour nous ignorer, soit qu'ils soient tels que nous ne puissions souhaiter d'être incertains à leur sujet.

☆

L'envie et le mépris sont les deux arrêts du tribunal de l'orgueil.

Tu n'existes pas. — Je suis.

Tu existes trop. — Je ne suis pas.

☆

Nos vrais ennemis sont silencieux.

☆

Un homme qui vous attaque, ce n'est qu'un homme qui se soulage.

Imaginez donc la face d'un homme qui cherche et trouve sur son papier une belle injure contre vous. Il rature et trouve mieux encore...

— Placez toujours cette image au mur de votre esprit.

☆

Des forcenés.
Tous les violents en littérature touchent au genre comique. L'injure est le plus facile des lyrismes et le plus traditionnel.

☆

Loi mécanique des injures.
Pour un témoin suffisamment *éloigné,* l'injure ne se fixe pas au point où elle est adressée : *chaque crachat décrit une courbe fermée.*

☆

Cache ton dieu.
Il ne faut point attaquer les autres, mais leurs dieux. Il faut frapper les dieux de l'ennemi. Mais d'abord il faut donc les découvrir. Leurs véritables dieux, les hommes les cachent avec soin.

☆

Que si le *moi* est haïssable, aimer son prochain *comme soi-même* devient une atroce ironie.

☆

Mieux vaut pardonner aux injures — que de les oublier. — Mais le pardon n'est jamais réel. Rien ne peut annuler la douleur actuelle. Qui pardonne dans cet état feint d'être ce qu'il n'est pas encore. C'est une noble comédie.

☆

Il faut aimer ses ennemis.

J'aime ceux qui m'animent, et ceux que j'anime. Nos ennemis nous animent.

A chaque instant, l'âme de l'instant nous vient de l'extérieur.

☆

Savourer l'injustice.

L'injustice est un amer qui redonne du goût à la solitude, aiguise l'appétit de séparation et de singularité, ouvre à l'esprit ses profondes voies, qui vont à l'unique et à l'inaccessible.

☆

Après tout, cette misérable vie ne vaut pas que l'on sacrifie l'être au paraître, quand on sait aux yeux de qui, à quels yeux il faut paraître.

☆

La rencontre.

Quel coup de hasard pour deux hommes qui se seraient fuis, ignorants de la rondeur de la Terre, quand ils se trouveraient nez à nez aux antipodes du lieu !

Ceci nous peut arriver avec nos plus grands ennemis.

Il y a certaines *courbures* dans la fibre du temps de la vie qui conduisent insensiblement de l'impossible au réel et de l'inconcevable à l'accompli.

VI

Regards

Des regards qui se rencontrent font naître d'étranges rapports.

Personne ne pourrait penser librement si ses yeux ne pouvaient quitter d'autres yeux qui les suivraient.

Dès que les regards se prennent, l'on n'est plus tout à fait *deux*, et il y a de la difficulté à demeurer *seul*.

☆

Des regards qui « s'échangent ».

Cet échange, le mot est bon, réalise dans un temps très petit, une transposition, une métathèse, un chiasma de deux « destinées », de deux points de vue. Il se fait par là une sorte de réciproque limitation simultanée. Tu prends mon image, mon apparence, je prends la tienne. Tu n'es pas

moi, puisque tu me vois et que je ne me vois pas.
Ce qui me manque c'est ce moi que tu vois. Et à
toi, ce qui manque, c'est toi que je vois.

Et si avant que nous allions dans la connaissance l'un de l'autre, autant nous nous réfléchi-
rons, autant nous serons autres. Et tout le reste
sera identique, et peut-être... commun !

Et plus nos regards se quitteront, plus nous
nous perdrons de vue, plus nous serons indiscer-
nables.

Je te vois, pour n'être pas toi, n'étant pas Toi.

Cette espèce d'analyse peut s'appliquer de soi à
soi-même.

☆

Sourires.

Deux personnes se rencontrent. Sourires
comme excités de se voir, et conservés quelque
temps. Ils se reposent pour laisser passer une ou
deux phrases sérieuses. Ils renaissent, se détachent ; et, séparés l'un de l'autre, se déplissent, se
dissolvent...

☆

Conversation banale.

Conversation banale est celle où l'on pourrait
transporter d'une bouche à une autre, les paroles
qui s'y *échangent.*

On ne distingue ces paroles qu'au seul timbre

des voix. C'est au timbre de voix que je juge ou préjuge les inconnus, et même les autres. Il me trompe assez rarement.

La voix me suggère certaines qualités de l'esprit. Ceci ressemble assez à ce déchiffrement des gens par leur écriture que pratiquent les graphologues. Mais ma *phonologie* est moins objective.

☆

Entre nous.
Les relations humaines sont fondées sur *chiffres*. Déchiffrer, c'est se brouiller. Ce chiffre a l'avantage de dire sans dire, et de garder suspendue, *réversible,* l'opinion réciproque. Il nous préserve de porter des jugements décisifs et définitifs qui ne sont jamais vrais que dans l'instant.

☆

Tout ce que l'on dit de nous est faux ; mais pas plus faux que ce que nous en pensons. — Mais d'un autre faux.

☆

Politesses.
Si tous les corps autour de nous étaient parfaitement *polis*, nous ne verrions de toutes parts que nous-mêmes, quoique dans les états les plus difformes.

C'est là précisément ce qui se trouve dans une société *polie*, où l'identité des manières, la restitution exacte des mots et des sourires, l'apparence d'une parfaite réciprocité nous environnent de nos propres gestes et propos.

☆

Intimes.

On ne devient vraiment *intimes* qu'entre gens du même degré de *discrétion*. Le reste, caractère, culture et goûts importe peu.

L'intimité véritable repose sur le sens mutuel des *pudenda* et des *tacenda*.

C'est par quoi elle permet une incroyable liberté ; tout le reste peut être dit.

Mais il y a de fausses intimités.

Peu d'amitiés complètes. On est bien rarement amis pour la totalité. C'est pourquoi il arrive d'avoir *plusieurs amis* et d'espèces très différentes.

« Il a autant d'amis que de personnes en lui. »

Ce n'est pas le plus intime qu'il préfère. Est-il probable que l'on se dévoile le plus (ou que l'on croie se dévoiler) à celui que l'on aime le mieux ? On se fait plus beau pour le préféré.

Si deux personnes se brouillent, c'est qu'elles étaient un peu trop bien ensemble. Les rapports superficiels sont toujours bons. Mais l'intimité rend les moindres variations très sensibles. Il ne faut pas oublier qu'elle consiste dans une *indis-crétion* permise, offerte ou sollicitée, dont les limites sont incertaines, dont l'impression qu'elle produit n'est rien de moins que constante, et qui exige une exquise attention pour s'exercer sans dommage et sans conséquences secrètes, très dangereuses pour l'amitié.

☆

Il y a, dans les relations qui se font intimes entre gens délicats, ce mélange extraordinaire de *la crainte de n'être pas compris* avec *la terreur d'être compris*.

— Il faut me comprendre, sans m'offrir dans votre regard l'idée d'un homme qui s'est expliqué. N'oubliez pas que je me vois dans votre attitude, et je n'y veux rien voir d'insupportable.

Votre silence soit un miroir sans défauts, etc.

☆

Les véritables secrets d'un être lui sont plus secrets qu'ils ne le sont à autrui.

☆

Le secret d'un homme d'esprit est moins secret que le secret d'un sot.

☆

Les sots croient que plaisanter, c'est ne pas être sérieux, et qu'un jeu de mots n'est pas une réponse.

Pourquoi cette conviction chez eux ?

C'est qu'il est de leur intérêt qu'il en soit ainsi. C'est raison d'État, il y va de leur existence.

☆

Lorsqu'on a pensé à une sottise et senti que c'en était une, il ne faut se hâter de la rejeter au néant. Elle a vécu... Comment se peut-il ? Arrêtons-nous un peu.

☆

'Amour consiste à sentir que l'on a cédé à l'autre malgré soi ce qui n'était que pour soi.

☆

On ne sait jamais avec qui l'on couche

☆

La plus belle femme, l'être séduisant, songent : « Il m'arrive, songent-ils, que presque pas un ne s'approche de moi, qu'il ne se sente prendre sur moi une sorte de droit, et je ne sais quelle propriété jalouse. — Je leur appartiens parce que je leur plais. »

« Leur prétention m'est insupportable... Je ne pourrais vivre sans elle. »

☆

Il n'existe pas d'être capable d'aimer un autre être tel qu'il est. On demande des modifications, car on n'aime jamais qu'un fantôme. Ce qui est réel ne peut être désiré, car il est réel. Je t'adore... mais ce nez, mais cet habit que vous avez...

Peut-être le comble de l'amour partagé consiste dans la fureur de se transformer l'un l'autre, de s'embellir l'un l'autre dans un acte qui devient comparable à un acte artiste, — et comme celui-ci, qui excite je ne sais quelle source de l'infini personnel.

☆

Sincérité.
La sincérité voulue mène à la réflexion, qui mène au doute, qui ne mène à rien.

☆

Les humains supplient silencieusement les

humains de leur dire ce qu'ils ne pensent pas.
Dites-nous ce que nous aimerions entendre ! *Dis-
moi quelque chose d'aimable,* chantent les yeux.

☆

Sincérité.

Il est bien difficile de dire « ce que l'on
pense » : 1° quand on ne pense rien — 2° quand
on fera du mal en le disant — 3° quand on n'est
pas sûr que la pensée qu'on a soit juste, — ni durable ; quand on est instruit, au contraire, des
effets de l'attention lorsque nous entendons la
fixer sur notre prétendu *Nous-Mêmes.* Elle
apporte ce qu'elle cherche. Elle importe du connu
dans l'inconnu.

☆

Toutoreille.

Des gens qui parlent bas entre eux font *songer*
vaguement à un tiers, (quoiqu'il ne les connaisse
pas), que ce qu'ils disent doit valoir d'être entendu. Je dis *songer,* car c'est un rêve qui peut
s'emparer du tiers, le dominer, le rendre *tout
oreille,* le changer en statue écoutante. Il est inté-
ressé inconsciemment par une sorte de contre-
imitation.

☆

Homme énergique est celui qui dans toutes les

circonstances choisit d'instinct la décision qui exige de lui la plus grande dépense *d'énergie*. Le risque est son excitant.

☆

Les hommes froids, presque toujours médiocres, sont bons dans les circonstances critiques pour affermir les autres et leur donner le calme, et parfois, l'idée bête et simple qui sauve.

☆

Quod verbum in pectus Jugurthæ altius quem quisquam ratus erat descendit.

Salluste.

On ne sait jamais en quel point, et jusqu'à quel nœud de ses nerfs, quelqu'un est atteint par un mot, — j'entends : *insignifiant*.

Atteint, — c'est-à-dire : *changé*. Un mot mûrit brusquement un enfant. Etc.

VII

Un trait d'esprit ou d'intelligence, quand il revient sur son auteur, qu'il entraîne pour lui des dommages, — en quoi se distingue-t-il d'une sottise ?

☆

L'intellect passe au travers des usages, des croyances, des dogmes, des traditions, des pudeurs, des habitudes, des sentiments et des lois civiles, comme passe un ingénieur au travers des forêts, des montagnes, et de toutes les bizarreries et formes locales de la nature, qu'il troue, tranche, et franchit, imposant par la force le chemin le plus court.

☆

Ce que nous voyons très nettement, et qui toutefois est très difficile à exprimer, vaut toujours qu'on s'impose la peine de chercher à l'exprimer.

☆

Comme il y a des « hommes du monde » — il y a aussi des « hommes d'univers

☆

L'esprit clair fait comprendre ce qu'il ne comprend pas.

☆

La clarté dans les choses non pratiques résulte *toujours* d'une illusion.

☆

L'ignorance vacille entre extrème audace et extrême timidité.

☆

La supériorité comme cause de l'impuissance : être incapable d'une sottise qui peut être « avantageuse ».

☆

Un homme est plus compliqué, infiniment plus que sa pensée.

☆

« Intuition » dans le langage de bien des modernes, c'est l'union mystique d'une image et d'un miracle. *Image miraculeuse.*

On est dans une prison désespérée. Un rayon lumineux tombe et fait voir la clef sur le sol.

L'image joue le rôle d'une dimension nouvelle, ou de l'organe de cette dimension. Elle change la *continuité* d'un certain espace — en introduisant l'inverse d'une *coupure* — ou une *coupure*.

☆

L'intuition sans l'intelligence est un accident.

☆

Je ne pense pas que les esprits puissants aient besoin de l'intensité des impressions. Elle leur est plutôt funeste, étant ceux qui de rien font quelque chose.

☆

La conscience sort des ténèbres, en vit, s'en alimente, et enfin les régénère, et plus épaisses, par les questions mêmes qu'elle se pose, en vertu et en raison directe de sa lucidité.

☆

Un état bien dangereux : croire comprendre.

☆

Il faudrait peut-être en venir à donner à notre philosophie cette base : que nous reposons sur une complication infernale d'éléments et d'événements élémentaires.

Un *esprit* capable de saisir la complication de son *cerveau* serait donc plus *complexe* que ce qui le fait être ce qu'il est... puisqu'à chaque pensée il devrait joindre l'idée de cette machinerie toujours différente d'elle-même, et, à chaque représentation de cette machinerie, *l'actualité toute différente* que sa pensée est à chaque instant.

☆

Les petits faits inexpliqués contiennent toujours de quoi renverser toutes les explications des grands faits.

☆

Chacun a vu quelque chose que personne autre n'a jamais vue. Et la somme de toutes ces choses est nulle. Ce qui compte est ce que tout le monde à la fois a vu.

☆

Les opinions des personnes qui n'ont pas refait leur esprit selon leurs besoins réels et leurs pouvoirs vérifiables — n'ont aucune importance qualitative.

Mais si quelqu'un a entrepris cette reconstruction, il s'écarte plus ou moins dangereusement de la moyenne.

« Ingéniosité » se change en « génie » quand elle se manifeste par une simplification.

☆

Profondeur.
Toute la profondeur que nous prêtons à de certains états n'est due qu'à leur *éloignement* de l'état de la vie normale, et non pas à leur *rapprochement* de choses très importantes et très cachées.

☆

Profondeur.
Une idée *profonde* est une idée ou une remarque qui transforme profondément une question ou une situation donnée.

Sinon, il s'agit d'un effet de résonance et nous sommes en littérature.

☆

L'on ne saurait être trop *subtil* ; et l'on ne saurait être trop simple.

Trop subtil, parce que les choses l'exigent ; trop *simple,* parce que notre existence et nos actes le commandent.

☆

Un esprit véritablement *précis* ne peut comprendre que soi, et dans certains états.

☆

La plupart s'arrêtent aux premiers termes des développements de leur pensée. Toute la vie de leur esprit n'aura été faite que de commencements...

☆

L'opération de la connaissance est de se débrouiller elle-même, comme un homme qui s'éveillerait indéfiniment et se délivrerait indéfiniment de l'enchevêtrement de ses membres et de l'emmêlement de ses perceptions précédentes.

Mais certains semblent préférer de s'embrouiller davantage.

VIII

Toute cosmogonie, toute métaphysique supposent l'homme témoin de spectacles qui l'excluent.

Et même la physique, et même l'histoire et la mémoire d'hier.

Ce qui voit est incompatible avec ce qui est vu, mais plus ou moins manifestement.

☆

La Philosophie et la Science ne seraient pas, si des hommes qui ne s'en *occupèrent jamais,* qui en ignorent le besoin, l'existence, et même la possibilité, n'avaient, par leur propre vie et action, établi la base, la matière, la langue, *l'obscurité* et la solidité fondamentales.

☆

Divers Théologiens pourraient nous faire croire que Dieu est bête.

☆

Variations sur Descartes.
Parfois je pense ; et parfois, je *suis.*

☆

Si un être ne pouvait pas vivre une autre vie
que la sienne, il ne pourrait pas vivre la sienne.
Car la sienne n'est faite que d'une infinité d'accidents dont chacun peut appartenir à une autre
vie.

☆

Idéal d'une âme.
Le désir d'avoir une âme et de n'être immor-
tellement que cette âme, ce désir doit pâlir singulièrement près du désir d'une âme d'avoir un
corps, et une durée. Elle céderait son royaume
même pour un cheval. Un âne, peut-être ?

☆

Qui est-ce qui parle le plus mal ? Quel est l'être
qui patauge, qui balbutie ; qui se sert le plus gau-
chement des mots les moins justes ; qui fait les
phrases les plus ridicules, les plus incorrectes, les
plus incohérentes, et tient les raisonnements les

plus absurdes ? Qui est le plus méchant *écrivain* possible ? le pire des penseurs ?

C'est notre Ame. Avant qu'elle se souvienne qu'il y a des oreilles extérieures, et des témoins, et des juges pour le procès de sa pensée ; avant qu'elle appelle la vanité et les idéaux à son secours, Idées de la Clarté, de la Rigueur, de la Commune-Mesure, de la Puissance, etc., elle est à chaque instant *au-dessous de tout.*

☆

Ce qu'il y a de plus vil au monde, n'est-ce point l'*Esprit* ? C'est le *corps* qui recule devant l'immondice et le crime. Pareil à la mouche, l'esprit touche à tout. La nausée, les dégoûts, ni les regrets, ni les remords ne sont de lui : ils ne lui sont que des objets de curiosité. Le danger l'intéresse, et si la chair n'était si puissante, il la conduirait dans le feu, avec une sorte de sottise et une avidité absurde et urgente de connaissance.

☆

La pensée se fuit dans les sanglots, dans le rire, dans l'acte, dans la pâmoison, dans la gorge qui se serre, dans le poing qui frappe, dans l'arrêt du cœur.

Elle se fuit aussi dans l'expression parlée, mais alors c'est une transformation qui permet la reprise et revient à la source. C'est un *relai*.

☆

Toute vue de choses qui n'est pas étrange est fausse. Si quelque chose est *réelle,* elle ne peut que perdre de sa réalité en devenant familière.

Méditer en philosophe, c'est revenir du familier à l'étrange, et dans l'étrange affronter le réel.

☆

La Mémoire glorifiée.

S'il n'y avait au monde que cinq ou six personnes qui eussent le don du souvenir, comme il en est qui ont des visions surnaturelles et des perceptions extraordinaires, on dirait d'elles : Voici les êtres admirables en qui réside ce qui fut. Ils nous expliquent tant de choses autour de nous qui n'ont point d'utilité actuelle. Ils nous enseignent ce que nous fûmes, et donc ce que nous sommes... Ces voyants seraient mis au-dessus des prophètes, et la pure mémoire au-dessus du plus grand génie. Une amnésie générale changerait les valeurs du monde intellectuel.

Il deviendrait patent qu'il est plus prodigieux de reproduire que de produire.

☆

Il existe pour toute pensée et pour toute chose profonde, amour, haine, un poison singulièrement énergique qui est *tout le reste du monde*, tout ce qui n'est pas elle, et qui la distrait, la dilue, la dissipe...

L'étrange pouvoir de faire certaines choses indifférentes à la vie avec le soin, la fureur, l'opiniâtreté — comme si la vie en dépendait... c'est là ce que nous appelons : *vivre*.

☆

Durées.

Ce qui n'existe pas dure une seconde.

La mort dure toute la vie. Dans toute hypothèse, elle cesse aussitôt qu'elle est.

☆

C'est la vie, et non point la mort, qui divise l'âme du corps.

☆

A chaque instant il y a *des points noirs* dans

l'âme qui sont en train de grossir ou de se fondre.

☆

Autorisation de se tuer, seulement au parfaitement heureux.

☆

L'homme est adossé à sa mort comme le causeur à la cheminée.

☆

Soi.
Dans les meilleurs moments, dans les pires, on ne se fait plus l'effet d'être soi ; mais on prodigue, ou on subit, je ne sais quel moi-improbable.

☆

La haine et la répulsion (a priori) sont signes souvent que l'on manque des organes, ou facultés, ou énergies, qui permettraient de faire servir à soi, d'utiliser, de consommer, etc., les choses pour lesquelles on se sent de la haine.

Je ne suis pas sûr de te vaincre, de t'asservir, de t'annuler, donc je te hais, je te supprime en esprit.

— Je ne sais pas t'aimer.

☆

Soi.

Nous ne connaissons de nous-mêmes que celui
que les circonstances nous ont donné à connaître
(j'ignorais bien des choses de moi).

Le reste est induction, probabilité : Robespierre
n'avait jamais imaginé qu'il guillotinerait à ce
point ; ni tel autre, qu'il aimerait à la folie.

☆

La substance la plus intime, la plus profonde
de nos pensées, notre sentiment véritable de la
mort, de la personnalité, de l'amour, etc. *sont faits
de la naïveté de nos ancêtres,* de leurs expressions
imagées, de leurs méprises, de la confusion de
leurs esprits en matière physiologique, de la pau-
vreté de leur langage, etc.

Et la suite que nous donnons à ces misérables
prémisses, est celle que peuvent leur donner la
hâte, l'incohérence, les facilités, les abus nerveux
de notre temps étrange.

☆

Ce n'est pas l'homme qui a le moins d'esprit
qui vit le moins par l'esprit.

Le pauvre d'esprit créa l'*Esprit,* création des pauvres d'esprit.

Et ce furent des « spirituels » qui créèrent ce qu'ils nommèrent la Chair...

☆

Que de choses il faut ignorer pour « agir » !

☆

La nourriture de l'esprit est ce à quoi il n'a jamais pensé. Il la cherche sans le savoir ; il la trouve sans le vouloir.

☆

Soi.

Plus une conscience est « consciente » plus *son* personnage, plus *ses* opinions, *ses* actes, *ses* caractéristiques, *ses* sentiments lui paraissent *étranges,* — *étrangers.* Elle tendrait donc à disposer de ce qu'elle a de plus propre et personnel comme de choses extérieures et accidentelles.

Il faut bien que j'aie des opinions ; des habitudes, un nom, des affections, des répulsions, un système du monde, comme il faut bien que le mur de ma chambre ait une certaine couleur. Je ne suis à tout ce que je suis que ce que la lumière

est à cette couleur. Elle pourrait éclairer quoi que
ce soit.

— Comment vous appelez-vous ?

— *Je ne sais pas.*

Votre âge ?... *Je ne sais pas.* Votre lieu de naissance ? *Sais pas.* Profession ? *Sais pas...* C'est
bien : *Vous êtes moi-même.*

☆

Il y a des doctrines qui ne souffrent pas d'être
traduites dans un langage qui n'est pas leur langage initial, et qui n'y transportent pas avec elles
cette magie, cette pudeur, cette accoutumance
d'être acceptées, qu'elles gardaient depuis leur
cristallisation en des mots qui s'étaient voilés et
consacrés à elles.

☆

Ames, communication directe des pensées, im-
mortalité, esprits et toutes ces suppositions, ont
pour fondement commun l'inutilité des moyens,
des sens, des corps, des mécanismes. Voir sans
yeux, vivre sans chair, toucher sans doigts, agir
sans actes, savoir sans apprendre, se mouvoir sans
mobile ; et surtout, mourir sans mourir, voilà le
principe et l'étrange souci.

☆

Toute enquête sur soi, tout accident qui fait qu'on se saisisse, tout point de vue inaccoutumé montre *soi* comme on ne le connaissait pas. Il n'est pas sûr que se *connaître* ait un sens, ni qu'un homme ne puisse connaître un autre homme mieux que soi-même. L'hésitation, le travail intellectuel, le remords, autant de preuves de cette étrangeté.

☆

Ce qu'il y a de plus difficile au monde : mettre toute son intelligence et toute son invention *au service*.

☆

Son mépris des hommes et de soi-même, son dégoût et sa déception généralisés, conduisent l'esprit profond à ne souffrir que la société la plus frivole.

☆

Le monde le plus élégant, le plus superficiel, le plus variable, le plus inutile est le milieu le plus conforme au jugement qu'il faut porter sur l'ensemble des choses.

☆

J'imagine assez souvent un homme qui serait en possession de tout ce que nous savons, en fait d'opérations précises et de recettes ; mais entièrement ignorant de toutes les notions et de tous les mots qui ne donnent pas d'images nettes, ni n'éveillent des actes uniformes et pouvant être répétés.

Il n'a jamais entendu parler d'*esprit*, de *pensée*, de *substance*, de *liberté*, de *volonté*, de *temps*, d'*espace*, de *forces*, de *vie*, d'*instincts*, de *mémoire*, de *cause*, de *dieux*, ni de *morale*, ni d'*origines* ; et en somme, il sait tout ce que nous savons, et il ignore tout ce que nous ignorons. *Mais il en ignore jusqu'aux noms.*

C'est ainsi que je le mets aux prises avec les difficultés et les sentiments qu'elles engendrent, je le construis ainsi, et maintenant, je le mets en mouvement, et je le lâche au milieu des circonstances.

☆

Un homme tirait au sort toutes ses décisions. Il ne lui arriva pas plus de mal qu'aux autres qui réfléchissent.

☆

Le monde continue ; et la vie, et l'esprit, à cause de la résistance que nous opposent les choses difficiles à connaître. A peine tout serait déchiffré, que tout s'évanouirait, et l'univers percé à jour ne serait pas plus possible qu'une escroquerie dévoilée ou un tour de prestidigitateur dont on connaîtrait le secret.

☆

La pensée ne peut se prévoir elle-même, quoi-qu'elle puisse prévoir ses retours — et son déve-loppement. Mais ces développements ne sont déjà presque plus elle.

IX

Ouvre le cœur du prochain — qui est le tien — mais ne t'arrête aux ordures qui sont le trésor de tout cœur humain.

Va plus avant, et ne cesse que tu n'aies trouvé l'*innocence,* la nécessité, l'horloge et l'heure, car la honte, les désirs, les remords, les crimes imaginaires et *le fait de tenir à soi* ne sont abominables et horribles que parce qu'ils n'ont pas développé entièrement leurs conséquences et qu'ils *ne le peuvent.*

☆

Tout repose sur quelques idées qui se font craindre et qu'on ne peut regarder en face.

☆

Je vais déchirer cette lettre — mais le papier

résiste — et dans le temps de la résistance, je change d'avis, je la classe.

— Que de gens allaient tuer, qui ne l'ont pas fait, gênés, déviés, par un rien...

☆

Crimes.
Il y a des situations et des idées qui ne peuvent se *préciser* sans que nous périssions, ou fassions périr.

☆

Tout crime tient du rêve.
Un crime qui *veut* se commettre engendre tout ce qu'il lui faut : des victimes, des circonstances, des prétextes, des occasions.

☆

— Lois naturelles, lois morales, lois civiles, respirer, obéir, être lié à des écritures, — parfois ces règlements bizarres *semblent un rêve.*

☆

Le crime n'est pas dans l'instant du crime, ni même peu avant. — Mais dans une disposition bien antérieure et qui s'est développée à l'aise, loin des actes, comme fantaisie sans conséquence, comme remède à des impulsions passagères — ou à l'ennui ; — souvent par habitude intellectuelle de considérer tous les possibles et de les former indistinctement.

☆

Quand l'homme se relève de son travail, se réveille de son labeur ou de son amour ou de sa peine, et s'étonne, et se dépouille et se voit sans se reconnaître, il ne reconnaît plus son acte, son œuvre, son crime, son dieu, et ce qu'il fut. Il se fixe un moment dans l'impossibilité de concevoir qu'il est celui qu'il fut, et que l'on croit qu'il est.

☆

Un désir abominable, quoique ce soit qui le condamne, rien ne peut faire qu'il n'ait été un besoin, un *cri* de ce qu'on est, tel qu'on est, à tel instant.

☆

Reprise.

Il y a dans toutes les existences, une minute de trop que l'on paierait infiniment cher pour reprendre à la réalité. — Alors ce réel *qui est de trop,* devient cauchemar.

☆

Les bêtises qu'il a faites et les bêtises qu'il n'a pas faites se partagent les regrets de l'homme.

Le manque à gagner lui est souvent plus amer que la perte.

☆

Se connaître n'est pas s'amender.

Se connaître, détour pour s'absoudre.

☆

Tout le monde assassin.

Il y a un petit mouvement secret, un *réflexe* qui assassine — efface intimement, abolit celui qui vous dit une chose dont on ne veut pas.

☆

Que d'enfants, si le regard pouvait féconder !

Que de morts s'il pouvait tuer !

Les rues seraient pleines de cadavres et de femmes grosses.

☆

Le crime consiste dans le passage de l'interne à

l'externe, dans une *mise au jour* — et même, une *mise au net*.

Car il était jusque-là une combinaison entre mille, et en somme — un rêve.

Les criminels sont ceux qui ne tiennent compte que des faits et tiennent ce qui n'est pas pour néant.

☆

Cette mouche m'irrite, je la supprime. Cette branche me pique, je la brise. Les crimes ne sont pas autre chose, dans leur conception spontanée ; — donc les hommes sont facilement pleins d'images de crimes, dont la plupart même ne les font pas réfléchir, quoique distraitement ils s'y plaisent. Tout idéal, tout désir implique toujours, à une faible profondeur, nombre de suppressions et de violations d'autres êtres, tellement que celui qui voudrait s'en épurer tout à fait, se supprimerait soi-même. Religions, nations, sectes, partis, tous sont ainsi. Toute politique voit avant tout des fusillades massives ; puis, le bonheur universel...

— C'est là une activité ordinaire de l'esprit, qui traduit chaque besoin ou désir dans une image où il les satisfait suivant le monde et le corps ; et parmi toutes ces représentations des actes ou des événements qui procureraient la satisfaction, — les exécutions nécessaires.

☆

Les « raisons » qui font que l'on s'abstient des crimes sont plus honteuses, plus secrètes que les crimes.

☆

Le châtiment déprime la *moralité* car il donne au crime une compensation finie. Il réduit l'horreur du crime à l'horreur de la peine ; — il absout en somme ; et il fait du crime une chose négociable, commensurable : *on peut marchander.*

☆

Justice répressive. — Si un homme chargé de gérer une affaire sérieuse, adoptait des mesures analogues à nos lois pénales, on le prendrait pour un fou. La société saisit un criminel et l'enferme pendant cinq ans, sans songer à la sixième année. Cet homme doit vivre, mais de quoi ? — Il n'a plus ni crédit, ni métier, ni ressources. On le remet en liberté plus dangereux, plus inutilisable, que devant.

Il paraît donc ou que la Société n'est pas gérée, ou qu'elle n'est pas une affaire sérieuse.

☆

On appelle *Morale* tout ce qu'on peut dire et écrire sur le problème suivant :

Pour quel objet, — dans quel cas, par quels moyens, — l'homme, *en l'absence de toute contrainte physique,* est-il conduit à faire ce qui lui déplaît, et à ne pas faire ce qui lui plaît ?

Une Morale devient ridicule quand elle peut enfin se réduire à ceci : agissez contre vous ; vous n'avez rien à craindre ni à espérer.

☆

La morale est le nom mal choisi, mal famé, de l'une des branches de la *politique généralisée* qui comprend la tactique de soi à l'égard de soi-même.

Dans les propositions : *Je me domine, je me cède, je me permets, je* et *me* sont différents — ou non — ?

On pourrait réduire l'analyse de la morale à décider si ces deux pronoms sont réellement ou fictivement différents.

☆

Il est bien des choses qu'il faut plus de courage

pour nier théoriquement que pour les réduire à
rien dans la pratique. Il faut souvent plus de courage pour penser et parler contre une morale que
pour la mépriser et la violer *en acte*.

☆

Il est bien des choses qu'il faut moins de force
pour faire que pour penser ; et pour faire énergiquement que pour faire modérément.

☆

Morale.
Si les principes d'une morale étaient si bien in-
culqués, que ses exigences les plus héroïques
soient obéies par automatisme ; que l'homme ne
puisse voir un *pauvre* sans se dénuder et le vêtir,
presque inconsciemment ; une *belle personne,*
sans dégoûts ; un *lépreux,* sans appétit de ses
croûtes... je doute que le moraliste soit content.

Le moraliste est un amateur difficile. Il lui faut
des combats et même des chutes. Une morale sans
déchirements, sans périls, sans troubles, sans remords, sans nausées, cela n'a pas de saveur. Le
désagréable, le tourment, le labeur, le vent contraire, sont essentiels à la perfection de cet art. Le
mérite importe, et non la conformité seule. C'est
l'énergie dépensée à contre-pente qui compte.

Sa morale se réduit donc à l'orgueil de contra-
rier. Il en résulterait aisément qu'un être naturel-
lement moral se forçant à l'immoralité *vaut* un
être immoral qui se force à la moralité.

Rien n'est simple. Il y a cependant une certaine
pente marquée par les instincts et les besoins. Ici
s'ouvre le procès du système nerveux.

☆

La morale est une sorte d'art de l'inexécution
des désirs, de la possibilité d'affaiblir des pensées,
de faire ce qui ne plaît pas, de ne pas faire ce qui
plaît. Si le *bien* plaisait, si le *mal* déplaisait : il n'y
aurait ni morale, ni *bien,* ni *mal,* tellement qu'à
la fin, c'est remonter le courant, naviguer *au plus
près* de la concupiscence et des images, — qui est
le phénomène moral...

☆

L'intelligence tentée.

Il faut distinguer (entre certaines limites) le
contrôle sur soi — en tant que répression, lutte et
victoire, etc., et la *conscience* — qui laissant
l'homme céder, — éclaire cependant la scène et
voit. Toutefois cette intelligence consciente peut
être appelée à exercer un certain contrôle : par

exemple, au lieu de force, elle peut user de ruse ; elle peut, par ses analyses, déprécier, dédorer, désaimanter, désarmer la tentation qu'elle serait incapable de vaincre de front.

— Au lieu de chasser le diable à grands coups, on peut le faire asseoir ; lui faire détailler ces royaumes qu'il prétend vous offrir, marchander longuement, s'intéresser (pendant qu'il chante et enjôle) à la physique des désirs qui naissent — le fatiguer de questions ; il est bien rare que des promesses, et même des réalités, résistent à un regard savant et net.

Les mêmes soins s'appliquent aux vertus héroïques, il est vrai...

— Vous me promettez des royaumes ; toi, de la terre, — et vous, du ciel. Voulez-vous bien me les décrire ? Allons un peu dans le détail. Tentez-moi clairement. Gagnez-moi par des images bien définies. Mais n'espérez point de me pêcher en eau trouble.

☆

Vertus sans cause.

Ce n'est pas par *charité* qu'il faut aimer ses ennemis — c'est par libre mobilité de soi-même et pour retordre la nature. — D'ailleurs il y a du mépris dans l'amour des ennemis.

Ce n'est pas par *humilité* qu'il faut se juger bas, c'est par prudence et connaissance. Et il ne faut pas croire à sa personnalité, à *Soi,* à son importance ; se tenir pour une œuvre *signée* de la nature et spécialement dédiée à elle-même — par l'Auteur, — d'abord parce qu'il ne faut pas multiplier les entités, qu'il faut *croire* le moins possible, ne donner crédit qu'à qui et à quoi le mérite. — Mais encore parce qu'il faut être exact.

☆

Faire son devoir *par perversité,* faire le « bien » par dérision de ceux qui le font sottement, pompeusement, saintement, — ou par crainte.

— Faire le bien en homme qui peut faire le mal.

☆

L'homme ne peut sincèrement ni se vendre au diable ni se donner à Dieu.

☆

Véritablement *bon* est l'homme rare qui jamais ne blâme les gens des maux qui leur arrivent

☆

London-Bridge.
Je passais, il y a quelque temps, sur le Pont de

— 78 —

Londres, et m'arrêtai pour regarder ce que
j'aime : le spectacle d'une eau riche et lourde et
complexe, parée de nappes de nacre, troublée de
nuages de fange, confusément chargée d'une
quantité de navires dont les blanches vapeurs, les
bras mouvants, les actes bizarres qui balancent
dans l'espace balles et caisses, animent les formes
et font vivre la vue.

Je fus arrêté par les yeux ; je m'accoudai, contraint comme par un vice. La volupté de voir me
tenait, de toute la force d'une soif, fixé à la
lumière délicieusement composée dont je ne pou-
vais épuiser les richesses. Mais je sentais derrière
moi trotter et s'écouler sans fin tout un peuple
invisible d'aveugles éternellement entraînés à
l'objet immédiat de leur vie.

Il me semblait que cette foule ne fût point
d'êtres singuliers, ayant chacun son histoire, son
dieu unique, ses trésors et ses tares, un monologue
et un destin ; mais j'en faisais, sans le savoir, à
l'ombre de mon corps, à l'abri de mes yeux, *un
flux de grains* tous identiques, identiquement
aspirés par je ne sais quel vide, et dont j'entendais
le courant sourd et précipité passer monotonement
le pont. Je n'ai jamais tant ressenti la solitude, et
mêlée d'orgueil et d'angoisse ; une perception
étrange et obscure du danger de rêver entre la
foule et l'eau.

Je me trouvais coupable du crime de poésie sur le Pont de Londres.

☆

Ce malaise *indirect* s'exprimait vaguement. J'y reconnaissais la saveur amère d'une culpabilité mal définie, comme si j'eusse commis quelque grave manquement à une loi cachée, sans aucun souvenir ni de ma faute, ni de la règle même. N'étais-je point soudain retranché des vivants, *quand c'était moi qui leur ôtais la vie ?*

(Ces derniers mots, sur un air imaginaire d'opéra, se mirent à chantonner en moi...)

Il y a du coupable dans tout être qui s'écarte. Un homme qui songe, songe toujours *contre* le monde habitable. Il lui refuse sa part ; il éloigne le prochain à l'infini.

Ce port fumant, cette eau sale et splendide, ces pâles cieux dorés, souillés, riches et tristes, exerçaient sur ma vie une puissance telle, une telle vertu de fascination, que, perdu au milieu des trésors du regard, je devenais, frôlé de tous ces hommes *pourvus d'un but,* essentiellement dissemblable.

☆

Comment se peut-il qu'un passant tout à coup soit saisi d'absence, et qu'il se fasse en lui un changement si profond, qu'il tombe brusquement d'un monde presque entièrement fait de *signes* dans un autre monde presque entièrement formé de *significations* ? Toutes choses soudain perdent pour lui leurs effets ordinaires, et ce qui fait qu'on s'y reconnaît tend à s'évanouir. Il n'y a plus d'abréviations ni presque de noms sur les objets ; mais dans l'état le plus ordinaire, le monde qui nous environne pourrait être *utilement* remplacé par un monde de symboles et d'écriteaux. Voyez-vous ce monde de flèches et de lettres ?... *In eo vivimus et movemur.*

Or, parfois, moyennant un transport indéfinissable, la puissance de nos sens l'emporte sur ce que nous savons. Le savoir se dissipe comme un songe, et nous voici comme dans un pays tout inconnu au sein même du réel pur. Comme dans un pays tout inconnu où se parlant une langue ignorée, ce langage pour nous ne serait que sonorités, rythmes, timbres, accents, surprises de l'ouïe ; ainsi quand les objets perdent soudain toute valeur humaine et usuelle, et que l'âme appartient au seul monde des yeux. Alors, pour la durée d'un temps qui a des limites et point de mesure, (car ce qui fut, ce qui sera, ce qui doit être, ce ne sont que des signes vains), *je suis ce que je suis, je suis ce que je vois,* présent et absent sur le Pont de Londres.

☆

Vir Bonus.

La nature de l'homme est « bonne », car il est oublieux, paresseux, crédule, superficiel.

Tous ces mots représentent les diverses facilités de nos « âmes » à laisser fuir leurs impressions et même leurs forces.

Heureuses facilités. Ce serait une redoutable engeance qu'une humanité douée de mémoire infaillible, d'activité toujours pressante, de présence d'esprit continuelle, de vigilance critique toujours armée.

Mais c'est donc un terrible avenir qui se prépare, car toutes ces méchantes vertus qui rendraient la vie dure à la vie, vont grandir et régner toujours plus dans le monde ; — mais point sous forme humaine. La *machine* et ce qu'elle exige obligeront les plus légers et les plus vagues et les contraindront à leur discipline. Elle enregistre ; elle prévoit. Elle précise, elle durcit ; elle exagère les pouvoirs de conservation et de prévision attachés aux êtres vivants, — dont elle tend à changer la durée capricieuse, les souvenirs incertains, l'avenir confus, les lendemains indéterminés, — en une sorte de *présent identique,* comparable à l'état stationnaire d'un moteur qui a atteint sa *vitesse de régime...*

A JULIEN P. MONOD

MORALITÉS

Pas de haine véritable possible à l'égard de ceux que l'on n'a pas aimés, — que l'on n'*eût* point aimés...

Ni point d'extrême amour pour qui ne vaudrait point d'être haï.

L'amour est toujours en puissance de haine ; et je sais des états où ils se distinguent si mal l'un de l'autre qu'il faudrait inventer un nom particulier pour ces formes complexes de l'attention passionnée.

Peut-être sommes-nous nécessairement contradictoires si nous tentons de nous exprimer le plus proche de nous. Haine et amour perdent leur sens, *de tout près*.

☆

Il peut y avoir une liaison extraordinairement puissante, constante et intime entre des individus, qui soit telle que ni les actes ne peuvent l'accroître, ni d'autres actes la réduire. — L'*éloignement*, et *même* la *haine* l'accroissent plus qu'ils ne l'exténuent. Certains sont accablés, profondément atteints par la mort de leur ennemi ; et il y a des maux qui disparaissant tout à coup, laissent l'homme vide et l'âme comme désœuvrée.

☆

Ce qu'on aime, *inspire*. — Être aimé, c'est inspirer, rendre quelqu'un inventif — producteur d'images, de prévenances, de ruses, de superstitions, — de violences.

☆

J'ai vu des gens assez bêtes et assez faciles pour se laisser persuader qu'ils n'aiment pas une chose qu'ils aiment. — Et d'autres que l'on fait aimer ce qu'ils ne peuvent souffrir.

Ce sont ceux chez qui les antipathies et les sympathies n'ont pas la force de ces dégoûts physiques qui n'ont pas d'oreilles, et que rien ne peut renverser et tourner en appétit. La fourrure de ces animaux prend le sens qu'on lui donne par le plat et le dos de la main alternés.

☆

Les guerres, les troubles, sont dus au nombre

des faibles d'esprit, des crédules, des inflam-
mables, qui sont la matière des actions et fermentations humaines d'ensemble.

Peut-on même concevoir des individus assez
spirituels pour négliger totalement, laisser s'amor-
tir sans les renforcer et les transmettre, annuler
systématiquement *tous les premiers termes,* tous
les premiers mouvements et retentissements des
faits et des mots ?

Il y a de grandes perturbations dans le monde,
qui sont dues à la coexistence de « vérités »,
d'idéaux, de valeur comparable, et difficiles à distinguer.

Les débats les plus violents ont toujours eu lieu
entre des doctrines ou des dogmes *très peu différents.*

Lutte plus aigre et plus aiguë entre orthodoxes
et hérétiques qu'entre l'orthodoxe et le païen.

Le degré de précision d'une dispute en accroît
la violence et l'acharnement. On se bat plus
furieusement pour une lointaine *décimale.*

☆

Ce qui m'est difficile, m'est toujours nouveau.

☆

Tout a recours au cerveau. Le « monde » pour

être et se reconnaître tant soit peu ; l'Être pour se rejoindre, se communiquer, et se compliquer. — Le cerveau humain est un lieu où le monde se pique et se pince pour s'assurer qu'il existe. L'*homme pense,* donc *Je suis,* dit l'Univers.

La pensée est comme un geste ou un acte plus ou moins prompt ; plus ou moins différé ou échappé ; geste de cet être qui a pour membres et pour parties toutes choses possibles ; pour articulations et domaines de ses actes, *le temps* ; pour frontière et terres interdites, *le réel.*

☆

Les plus fortes têtes le sont aussi contre elles-mêmes. — Surtout contre elles-mêmes. — Par quoi elles se détruisent, mais sans quoi elles ne parviennent pas à leur plus haut.

☆

On ne peut enfermer un homme dans ses actes, ni dans ses œuvres ; ni même, dans ses pensées, où lui-même ne peut s'enfermer, car nous savons, par expérience propre et continuelle que ce que nous pensons et faisons à chaque instant n'est jamais exactement nôtre ; mais tantôt un peu plus, tantôt un peu moins ou beaucoup moins

que ce que nous pouvions attendre de nous ; et
tantôt un peu moins, tantôt beaucoup moins...
favorable.

Ce qui est simple. Car nous-mêmes, consistons
précisément dans le refus ou le regret de ce qui
est ; dans une certaine distance qui nous sépare et
nous distingue de l'instant. Notre vie n'est pas
tant l'ensemble des choses qui nous advinrent ou
que nous fîmes, (qui serait une vie étrangère, énumérable, descriptible, finie), — que celui des
choses qui nous ont échappé ou qui nous ont
déçus.

☆

Le génie quelquefois est une apparence due à
ce fait — que le *plus facile*, le *chemin* le *plus*
favorable n'est pas le même pour tous les hommes.
Même si ce génie existe par la contrainte, cette
voie douloureuse doit être la plus aisée, ou même
la seule et la nécessaire pour celui qui la suit.

☆

L'infériorité de l'esprit se mesure à la grandeur
apparente des objets et des circonstances dont il
a besoin pour s'émouvoir. Et surtout à l'énormité
des mensonges et des fictions dont il a besoin pour

ne pas voir l'humilité de ses moyens et de ses désirs.

☆

On considère sa main sur la table, et il en résulte toujours une stupeur philosophique. Je suis dans cette main, et je n'y suis pas. Elle est *moi* et *non-moi*.

Et en effet, cette présence exige une contradiction ; mon corps est contradiction, inspire, impose contradiction : et c'est cette propriété qui serait fondamentale dans une théorie de l'être vivant, si on savait l'exprimer en termes précis. Et de même, d'une pensée, de cette pensée, de toute pensée. Elles sont *moi* et *non-moi*.

— On désire une analyse délicate de ceci.

☆

On dit : *mon esprit,* comme on dit : *mon pied, mon œil.* On dit : *il a l'esprit clair,* comme on dit : *il a l'œil bleu. Quel génie !* comme on dit : *quelle chevelure !* — Quoi de plus étrange, et de plus profond que de dire : *Ma* mémoire ?

☆

L'*âme* et la *liberté*, qui furent pris : l'une, pour

une « substance », l'autre pour propriété de cette
substance, sont, — à en juger par les occasions où
ces mots viendraient d'eux-mêmes à la pensée, —
des *états,* parfois des *événements ;* — en somme,
des noms d'*écarts,* — des termes qui désignent
certaines *singularités* dans la *conscience courante.*

☆

Modestie.
Quand nous faisons une belle chose, ou que
nous jugeons telle, ce n'est pas *nous,* qui, sous
cette apparence de la faire, la faisons, — *puisqu'elle nous étonne.* Et il faudrait en bonne justice refuser ce que l'on trouve d'excellent, comme
on refuse les lapsus, les accidents honteux, les sottises.

Il faudrait même refuser un peu plus encore,
les BONHEURS, car il y a moins de chances pour
eux dans la plupart des états et des hommes, et
par là, ils sont moins de nous que les erreurs.

☆

Homme de génie, il importe que ton *génie* soit
si bien dissimulé dans ton *talent* que l'on soit
porté à attribuer à ton art ce qui revient à ta
nature.

☆

Nous trouvons « justes » ou « bonnes », les idées qui étaient en puissance dans notre être et que nous recevons d'autrui. C'est notre bien. Un hasard seul a fait qu'un autre les eut avant nous, hasard comme celui d'une date de naissance...

Nous les reconnaissons en nous.

☆

Quand une idée, par miracle, trouve son homme, tombe dans l'énergique vivant capable d'elle, en goûte la force, lui fait croire qu'elle est lui-même, l'épouse, l'ordonne, — alors de grandes choses vont se passer. Qu'il soit marchand, ou soldat, ou autre — cette coïncidence va *te vivre*. Que le monde en soit rempli, ou rien que le quartier, il importe peu.

C'est une chance rare. L'homme, l'occasion, l'idée, — trois probabilités se multipliant. Que l'idée rencontre son homme, que cet homme rencontre le moyen et l'instant, — alors grands actes, grandes œuvres, fortune ou crime.

☆

J'ai écrit : *l'homme est absurde par ce qu'il cherche ; grand par ce qu'il trouve.*

Il faudrait donc s'exercer à considérer ce qui fut trouvé, et à négliger ce qui est cherché.

Considérer ce qui a été trouvé comme ce qui *devait être cherché*. Et donc essayer si l'allure, la nature, la figure générale de ce qui a été trouvé jusqu'ici, ne devrait pas modifier le sens accoutumé de nos recherches ? Peut-être transformer nos problèmes ? — Notre curiosité ?

— *Réponse*. — Mais la transformation se fait d'elle-même. Voyez autour de vous.

☆

L'homme a le sentiment invincible que les choses pourraient être différentes de ce qu'elles sont. En particulier, qu'elles devraient l'être en ce qui le touche.

Or, ses efforts pour se convaincre du contraire, c'est-à-dire pour se démontrer que *ce qui est* ne peut être autrement, le conduisent à la puissance de modifier cela même. — Plus il reconnaît et reconstitue cette *nécessité,* plus il découvre des moyens de la tourner à son avantage.

☆

Toutes choses sont étranges. Et l'on peut toujours les ressentir dans leur étrangeté dès qu'elles ne jouent aucun rôle ; que *l'on veut ne rien trouver qui leur ressemble,* et que leur *matière* demeure, s'attarde.

☆

Un danger de l'esprit : ne plus penser que polémiquement, comme devant un public — en présence de l'ennemi. —

☆

Les objections naissent souvent de cette simple cause que ceux qui les font n'ont pas trouvé eux-mêmes l'idée qu'ils attaquent.

☆

Il y a des idées pour conversation ; idées pour étonner le monde pendant un temps plus court que le temps de la réflexion ; des idées pour littérature et articles, qui ne brillent qu'aux yeux qui courent ; d'autres pour thèses historiques ou morales — c'est-à-dire pour spéculations sans sanctions.

☆

L'homme pense en dehors du besoin, comme il fait l'amour en toute saison — et ce détachement des conditions immédiates, cette *utilisation* des choses négligeables fait songer à un rendement toujours plus grand — puisqu'une telle activité qui fut vaine s'est changée peu à peu en industrie, en applications.

☆

Les moyens matériels qui accroissent la science et lui procurent les sensations de l'inattendu, en font un jeu de hasard mitigé, une partie jouée contre la nature, et narguent le philosophe toujours trop pressé de distinguer, de décider et de conclure.

Il suffit d'un verre plus grossissant, d'une mixture un peu plus composée, d'une plaque photographique oubliée auprès d'un corps, pour que soit pénétré d'un frémissement de rupture l'édifice actuel d'un système.

Il arrive que ce que distingue l'analyse intellectuelle soit indivisible par l'expérience ; et les « concepts » distincts étrangement brouillés.

☆

Il faut n'appeler *Science* : que *l'ensemble des recettes qui réussissent toujours.* Tout le reste est littérature. —

☆

Fait moderne ; la théorie épousant la pratique, — d'où modification réciproque de la conception de l'une et de l'autre. Les théories toutes *pures* s'alanguissent et s'étiolent.

Toute pratique, le plus humble métier, le tour de main d'ouvrier, sont soumis à une analyse et à une reconstitution raisonnée.

Peu à peu, s'introduit ainsi et se fortifie le sentiment tout neuf que la « pensée » ne vaut que comme intermédiaire entre deux états de l'expérience, entre une question et une réponse ; et je la considère, quant à moi, comme une sorte de... *substance de possibilités* qui peut prendre, entre ces deux états, — moyennant certaines *contraintes* — une valeur utilisable de transformation.

☆

Ce qui frappe l'homme le plus, c'est aussi ce qui lui semble le plus *accident ;* et cet accident le plus frappant est l'événement qui lui montre soi-même soumis à des lois.

L'homme regarde comme *accident,* et n'éprouve que par accident la manifestation et l'évidence des lois qui le régissent, qui le font, le défont, le conservent, l'altèrent, l'animent, et l'ignorent. Il ne

sent battre son cœur que par moments critiques.
S'il tombe, il se rencontre lui-même. Il *se*
heurte. S'il peut rêver (et même penser) à voler, à
ne pas mourir, à... etc., c'est que les lois sont
étrangères à sa pensée. Elles n'y sont que super-
ficie : *accident aperçu par accident.*

☆

Un « Fait » est ce qui se passe de signification.

☆

Le réveil fait aux rêves une réputation qu'ils ne
méritent pas.

☆

Le voyageur.
On jette un regard perdu par la fenêtre d'une
chambre d'hôtel :
*Le royaume de N'importe quoi est habité par
le peuple de N'importe qui —*
dit l'âme...

☆

Les rêves les plus étranges, les plus beaux, les
plus hardis — ne sont pas du tout les rêves des
hommes les plus profonds, les plus imaginatifs,
les plus aventureux.

Tel qui vole le jour, chemine sagement la nuit.

Celui qui étudie les rêves, observe qu'il y a des réveils qui sont de singulières fortunes ; des réveils, qui par leur *époque* relative, par la phase du rêve *quelconque* qu'ils interrompent, par leur mode net de faire une coupe, au bon endroit ou au bon moment, sont précieux à l'égal d'une « inspiration » — d'une « bonne idée », etc.

Un bruit, une sensation vive m'éveillent au moment même d'un coup heureux de la *partie.* Le jeu s'arrête sur mon gain, — c'est-à-dire sur une combinaison de mon rêve qui se trouve, *d'autre part,* utilisable par la veille.

Si je renverse ceci, ne dirai-je pas qu'une bonne idée, un « éclair » de génie, sont de ces heureux réveils, de ces coupes favorables dans le possible de l'esprit ?

— Est-ce la valeur probable, l'excellence de cette *idée d'entre les idées* qui provoque de soi-même cet arrêt, cette brusque édification, ce *choc du beau contre le temps ?* Comme s'il y eût un sens, une attente, un crible — qui rendît instantanément plus *intense* ce qui sera *tout à l'heure* — plus *important.*

☆

Morale des rêves.

Incorrection dans les rêves. Rêves où l'on commet des incorrections. — Le sens de *l'infraction* y est développé ; et il semble tendre à commettre ces actes autant qu'à les regretter, et à en avoir honte.

On trouverait par là qu'il y a une secrète identité entre l'impulsion à l'infraction et le remords : le véritable délinquant étant l'homme fortement doué pour le futur remords, — lequel serait enfin de même nature profonde que l'attrait de la faute ?

☆

Un lapin ne nous effraie point ; mais le brusque départ d'un lapin inattendu peut nous mettre en fuite.

Ainsi en est-il de telle idée, qui nous émerveille, nous transporte, pour nous être soudaine, et devient, peu après — ce qu'elle est...

N'oubliez pas — l'imprévu !

Souvenez-vous bien de ce qui n'est jamais arrivé !

L'homme insoucieux, l'imprévoyant, est moins accablé et démonté par l'événement catastrophique que le prévoyant.

Pour l'imprévoyant, le minimum d'imprévu. — Quoi d'imprévu pour qui n'a rien prévu ?

☆

Les causes véritables sont souvent des faits ou

des circonstances auxquels il serait SUPRÊMEMENT ABSURDE *de songer a priori, tant ils sont hors du sujet,* — hors de toute prévision.

Les causes à quoi l'on songe sont, au contraire, de celles que l'on trouve *parce qu'on les a déjà trouvées.* Rien n'est plus vain.

En y pensant un peu trop, on en viendrait à faire dépendre la probabilité d'une cause... de son imprévu.

☆

L'homme est animal enfermé — à l'extérieur de sa cage.

Il s'agite *hors de soi.*

☆

Voir de haut.

Les hommes très haut placés ne voient que des sots : ou des sots naturels, ou des sots par calcul, — ou des sots par timidité. —

Et qui leur parle devient sot.

☆

L'ennui est le sentiment que l'on a d'être soi-même une habitude, et de vivre... une *non-existence sensible,* comme si l'on eût la propriété de percevoir que l'on n'est pas. Percevoir que l'on n'existe pas !

L'ennui est finalement la réponse du même au même.

☆

L'enfant et le distrait touchent, manœuvrent ce qui semble fait pour la main, — serrures, robinets ; ouvrent les tiroirs, etc.

Les dents mangent les lèvres, — la moustache, — les ongles. Le penseur se gratte le front.

Quand l'âme est absente, les parties du corps ne se reconnaissent plus comme parties du même. Ce sont des bêtes qui se heurtent ; qui font aveuglément, à la moindre excitation, la seule chose que chacune sait faire.

Le *Même* n'existe que par moments.

Le sérieux se perd dans le sensible ou dans la fumée.

Les enfants préfèrent de jouer entre eux, car entre eux, il se fait un sérieux, ils sont de plain-pied quant au *sérieux*.

Si un être est léger, variable, c'est qu'il fonctionne mieux dans la versatilité.

S'il est profond, c'est qu'une réponse trop prompte ne le replace pas à son point de satisfaction : et même exacte, même parfaite, il arrive qu'il se trouve content d'elle et non content de

soi. Il n'a pas senti la peine que sa trouvaille eût
valu qu'il se donnât.

☆

La vie est gâtée aussitôt que l'idée d'un plaisir
est le signal même de ce qui peut corrompre ce
plaisir : quand le verre touchant aux lèvres fait
venir le poison à la pensée ; quand la joie naissante fait frémir d'être joie. Il suffit de quelques
soudures dans l'esprit pour tout corrompre. Et
quelques rattachements de hasard, entre tes idées.

Il est des religions qui ont usé de ces raccords,
et rendu l'homme *meilleur* par savantes perver-
sions de ses réflexes.

☆

La richesse est une huile qui adoucit les machines de la vie.

☆

Le « cœur » est ce qui donne des valeurs ins-
tantanées et toutes-puissantes aux impressions et
aux choses. Il est en chacun l'arbitre des différentes *importances*. Il est résonateur central qui
choisit dans l'équivalence des choses.

Superstitions, — pressentiments — impulsions,

répulsions — organisation brusque de l'inégalité intérieure des idées...

Que prouve ce cœur, et que valent ces valeurs ?

☆

— L'homme réagit par des idées simples à chaque gêne, à chaque mal, à chaque besoin. Il ne sait guère que *prendre, tuer* ou *détruire, et fuir.*

Adam prend, mange, se cache. C'est un nègre *nu.*

Nu, car tout son registre de réponses est apparent et immédiat. — *Se civilisant,* il résorbe une partie de ses désirs, se prive d'une partie de ses actes de satisfaction, et en dissimule une autre. Le sauvage se cache à l'intérieur, — se fait — *Esprit.*

Nous détruisons donc en esprit ce qui nous gêne le moindrement ; et *nous accomplissons en esprit* ce qui nous plaît le moindrement.

Par là se crée *un monde de l'esprit* où l'on s'assouvit, où l'on jouit, où l'on extermine, où l'on parfait son bien, où l'on annule son mal — *complètement ;* où l'on se venge, où l'on commande — *complètement ;* où l'on vit éternellement ; où l'on triomphe, où l'on est aimé, où l'on est beau, sans rien contre soi : ni gens, ni choses, ni temps.

Ce monde *secret* et *évident* de chacun se compose comme il peut avec le monde observé et subi.

☆

Un homme considérait froidement divers chemins.

Si je me convertissais, pense-t-il. Première hypothèse. Je simplifierais mes affaires. — J'épouserais tous les bénéfices d'une immense institution. — J'en serais pacifié, encadré, soutenu. Je ferais des livres qui auraient un vaste public. — Je puiserais des sujets, des mots, des développements dans un trésor illimité de textes et de traditions. — Grande facilité. — Toute une ressource et une mythologie admirable, etc., etc. — Si je me faisais *social* et *populaire,* les avantages ne seraient pas moindres. La foule me porterait ; je lui donnerais des formules ; elle frémirait à ma voix. — Je me rendrais plus puissant que les puissants, en injuriant et maudissant les puissants. — Je vivrais puissamment de la défense des humbles.

Pesons bien toutes les chances. Interrogeons le jour suivant. — Choisissons quelles brebis tondre, et de quelle couleur.

☆

Tout ce en quoi et pour quoi nous avons besoin

immédiat d'autrui est « ig-noble » — non noble.

S'appuyer sur autrui, rechercher sa faveur, son appui, provoquer son assentiment. Y attacher du prix !...

☆

L'optimiste et le pessimiste ne s'opposent que sur ce qui n'est pas.

☆

Vous êtes d'un parti, mon ami — c'est-à-dire que vous applaudissez ou injuriez contre votre cœur. — Le parti le veut.

☆

Pour que l'injure fasse mal, il faut que l'insulteur nous soit caché en partie et que l'on ne voie que ce qu'il veut. Mais il faut le considérer par transparence, et le voir dans sa solitude.

On trouve alors que seul avec soi-même, il a pensé à celui qu'il abhorre ; il en a formé un fantôme qu'il déchire, abomine, raille, souille en toute naïveté.

Seul avec soi, il se dépense contre une ombre. Qui voit donc *tout* l'insulteur, voit un fou.

☆

Qui donc a le courage de se contraindre à préciser l'opinion probable d'un autre sur soi-même ? Qui ose de considérer la place probable que lui donne cet esprit étranger ? Pensez-y de fort près.

☆

L'homme ne peut offrir à l'homme que son mal. Ce qui se voit dans tous leurs rapports quand ces rapports se développent le moins du monde.

☆

J'ai observé que l'opinion ne hait pas excessivement ceux qui se vantent, et les trouve plus naturels que les modestes, desquels, non sans finesse et sans raisons, elle se méfie.

Elle se moque des vantards et avantageux ; mais elle a un tendre pour eux, car ce lui sont des amants qui ne pensent qu'à elle et qui lui font leur cour.

☆

Modestes sont ceux en qui le sentiment d'être d'abord des hommes l'emporte sur le sentiment

d'être soi-mêmes. Ils sont plus attentifs à leur ressemblance avec le commun qu'à leur différence et
singularité. Ils se confondent au nombre plus
qu'ils ne s'en séparent.

La sensibilité pour la *différence,* donne orgueil
ou envie ; pour la *ressemblance,* donne *modestie*
ou *insolence,* car il y a une insolence qui s'appuie
sur l'égalité affirmée et exigée.

☆

L'amertume vient presque toujours de ne pas
recevoir *un peu plus* que ce que l'on donne.

Le sentiment de ne pas faire une bonne affaire.

☆

Je lis une explication du *rire* où je ne trouve
pas pourquoi les causes alléguées du rire touchent
le diaphragme, les muscles de la face, et non les
glandes lacrymales. La question n'est même pas
posée.

Tel objet fait éclater de rire ; tel autre, éclater
en sanglots. Les deux effets n'ont nul rapport
connu avec les deux causes ; et nous pouvons (jusqu'ici) concevoir librement que le rire eût pu répondre à quelque douleur, et les larmes amères à
un excès de supériorité joyeuse.

☆

L'action d'une *sensibilité* sur une autre, ou plutôt l'effet de la représentation d'une sensibilité dans une autre peut produire d'étranges conséquences.

... Par exemple :

Un mot malheureux, un oubli, un acte automatique de A blesse B. Révolte de B. A souffre du mal qu'il a fait, et *comme conséquence...* confirme ce mal, le maintient, l'aggrave.

Comme pour se punir d'avoir fait du mal dont il souffre, il aggrave le mal afin d'en souffrir davantage. Ou bien : ne pouvant rattraper le trait, souffrant de l'avoir laissé échapper,
souffrant de la souffrance causée,
souffrant de s'être diminué, ou ruiné dans l'esprit de B, et ressentant ce qu'il imagine dans B,

va le rendre *volontaire* (car le volontaire implique *le pouvant n'être pas fait,* qui implique le *n'être pas fait!...*) en le confirmant — en se *forçant* à le confirmer.

☆

Nous n'apercevons des vivants que leurs moyens de défense et leurs organes d'attaque, leur tégument, leurs avertisseurs, leurs prolongements moteurs, leurs armes, leurs outils.

☆

Les mœurs seraient bien changées si toutes les démonstrations et les actes extérieurs, paroles, etc., étaient jugés selon le plus ou moins de conscience, qu'ils supposent dans leurs auteurs ; si tout ce qui échappe et se fait sans contrôle de soi était considéré honteux.

Que de jugements sont des émissions de fermentations intestines ! Ils soulagent leurs auteurs et infectent l'air intellectuel des autres. Ainsi les injures, les railleries, les exclamations.

☆

Ce qui distingue un billet faux d'un billet vrai, ne dépend que du faussaire.

Un homme passait en justice accusé de faux, et deux billets portant les mêmes numéros étaient sur la table du juge. Il fut absolument impossible de les distinguer.

— De quoi m'accusez-vous, disait-il ?... Où est le corps du délit ?

☆

Nos véritables goûts, nos véritables hontes, nos faibles, notre crainte clairvoyante de nous-mêmes... c'est tout un musée secret toujours gardé ; et ce bagne a pour voisin dans les profondeurs, le Seigneur Dieu, avec la pensée de la mort, les heures mélancoliques et le sombre jardin.

C'est là le lieu de toutes les ombres et de toutes ces vagues certitudes que le mouvement, la lumière, le vent excitant, l'action et la parole *endiablées,* l'amour en bonne voie, l'appétit, *la victoire naissante,* la lutte dure et vive, dissipent ou déplacent dans l'âme du moment.

☆

Il y a souvent autant de peine à succomber qu'à résister, à faire le mal qu'à faire le bien ; et autant de combats, et aussi durs, et plus sombres.

La facilité n'explique pas tout ; et le vice a ses sentiers aussi ardus que ceux de la vertu.

Il est des actes coupables qui furent commis avec une répugnance infinie.

☆

Le Continu par le Mensonge.
La continuité de l'amour, de la foi, de l'atti-

tude vertueuse ou noble ; la permanence du génie, de l'intelligence, de l'énergie, de la pureté, et même du vice, — est assurée par la simulation, par la pieuse imitation de l'état le plus élevé par le moindre, de l'état rare par le fréquent.

En toutes choses, le vrai serait maigre sans le faux. Le joueur ne veut avouer, ni s'avouer, la variation de sa chance ; l'amant, celle de son feu ; le héros, la scintillation de son étoile. Il faut faire que les coups manqués ne comptent pas ; dissimuler les doutes, les dégoûts, les sécheresses, les abandons, les échecs et l'ennui ; résorber les contradictions ; — et d'ailleurs, renforcer les points forts, enrichir sa richesse, accumuler ; toujours falsifier l'instant, minimiser les minima, maximer les maxima.

☆

L'apôtre implore et dit : Augmentez notre foi !...

☆

Que de grandes choses ne seraient pas sans une faiblesse qui les inspire... O Vanité, mère mesquine de grandes choses !...

☆

La plupart des crimes étant des actes de somnambulisme, la morale consisterait à réveiller à temps le terrible dormeur.

☆

Mensonge.

Ce qui nous force à *mentir,* est fréquemment le sentiment que nous avons de l'impossibilité chez les autres qu'ils comprennent entièrement notre action. Ils n'arriveront jamais à en concevoir *la nécessité* (qui à nous-mêmes s'impose sans s'éclaircir).

— Je te dirai ce que tu peux comprendre. Tu ne peux comprendre le *vrai*. Je ne puis même essayer de te l'expliquer. Je te dirai donc le *faux*.

— C'est là le mensonge de celui qui désespère de l'esprit d'autrui, et qui lui ment, parce que le faux est plus simple que le vrai. Même le mensonge le plus compliqué est plus simple que le Vrai. La parole ne peut prétendre à développer tout le complexe de l'individu.

☆

Il y a deux sortes d'hommes — ceux qui se sentent hommes et ont besoin d'hommes —

Et ceux qui se sentent — seuls, et non hommes — Car qui est vraiment seul n'est pas homme. —

— 112 —

☆

Traiter quelqu'un de sot, c'est s'appliquer tout ce qu'on lui retire — Ceci est permis — mais il faut l'affirmer positivement, ce qu'on se garde bien de faire.

☆

Il faut toujours s'excuser de bien faire — Rien ne blesse plus.

☆

« Être bon » pour quelqu'un lui suggère de vous réduire en esclavage. Il ne s'en doute pas. Il n'en use que plus pleinement avec vous. Il se met à penser sans effort en disposant de vous. Vous ne faites pas obstacle. Vous entrez implicitement dans les projets qu'il forme, au titre d'un moyen facile.

☆

Les yeux comme organes pour *demander*. Chiens. — Amants fidèles.

— Aussi *bon* qu'on peut l'être quand on y voit clair.

Aussi *humain* qu'on peut l'être quand on distingue les choses selon leur espèce — les sensations comme telles — les idées comme telles, etc.

est et non ce qui paraît, — étant la demande et la réponse jointes, et non leur division...

— Mais c'est là être *terrible !* dit-Elle.

Dur, mais non *cruel,* — grande différence, car le dur est commandé par quelque dessein ou quelque objet de pensée, et le cruel par la jouissance actuelle de l'être.

☆

Convention commode. — Lois pénales.

Il est commode de couper ou de couronner une tête, mais dérisoire à la réflexion. C'est croire que cette tête enferme une Cause Première.

Quand elle coupe une tête, la Société croit qu'elle extermine ce qui la blesse, comme un homme gonflé de poison croit se guérir en se brûlant un petit abcès.

La société est gonflée de poisons dont les délits ne sont que des exutoires locaux et accidentels en eux-mêmes... C'est pourquoi la statistique des crimes est régulière et c'est pourquoi il y a une statistique des crimes, comme il en est une des accidents, incendies, etc. C'est que la *Société physique*, les villes, les agglomérations sont comme une accumulation de mouvements, de masses, de combustibles et de comburants, dont çà et là doivent s'effectuer des combinaisons imprévues dans le détail et prévues dans l'ensemble.

✦

Il est imposé à l'homme d'agir comme si les conséquences se réduisaient aux plus prochaines. Le *bien* et le *mal* issus d'un acte n'ont un sens que dans un cercle fort petit autour de leur origine.

S'il n'en était ainsi, les actions seraient indifférentes, car leurs retentissements se mêlent — le bien devient regrettable, et le mal une faveur ; l'erreur est féconde ; le crime enrichit à distance un vertueux.

Quelque temps après l'instant même, la confusion s'opère. L'Histoire, cependant, nous veut faire maudire ou bénir des personnages éloignés dont nous ne pouvons démêler la valeur et le sens *actuels* de leurs actes.

✦

Responsabilité.

Une faute est ce qui est enfin puni. La conséquence mauvaise est la marque de la faute. L'homme qui manque du pied pèche contre son rythme, choit et *se* blesse.

Si on ôte toute conséquence mauvaise pour l'auteur, pas de faute. Ramener la conséquence mauvaise sur l'auteur comme par un miroir, et la lui donner pour but, en faire un effet qu'il a

prévu et voulu, c'est là la fiction qui se nomme
responsabilité. Cet homme a voulu se faire tran-
cher la tête, et c'est pourquoi on a pu la lui tran-
cher. Il a pris le détour d'un crime.

Mais s'il eût ignoré absolument que la conséquence pût s'ensuivre, il n'eût *pu* être puni. Ou
bien l'idée de responsabilité s'écroule, et la répression (temporelle ou non) devient violence et arbitraire — ou mesure scientifique et inhumaine.

Ainsi faut-il définir la responsabilité : une fiction par laquelle un homme est supposé avoir
voulu toutes les conséquences *reconnaissables* de
tout acte qu'il a accompli ; cette supposition étant
valable pendant trente ans au plus à partir du jour
de son acte.

☆

Ce qu'il y a de criminel dans le criminel, de
sale et de sombre, — est la non-conscience qui
accompagne le crime. Car si la conscience de cet
acte était au plus haut degré, le sentiment de son
étrangeté et de son objectivité dominerait, et le
criminel pourrait dire : « Ce n'est pas *moi* — ce
sont mes mains, c'est mon cerveau, — c'est un
rêve, étonnamment travaillé, surveillé. — Mais je
demeure innocent. »

Mais cette conscience incomplète, par laquelle
le criminel se sent et se confesse à soi *auteur* et

cause première du crime, l'empêche donc de se trouver *irresponsable*. Ainsi la responsabilité qu'il se trouve implique une certaine irresponsabilité, — une conscience de soi qui n'est pas au plus haut degré.

☆

La menace de l'aveu.

« Si vous voyiez mon âme, vous ne pourriez pas déjeuner. »

☆

Morale conservative.

Il faut que ce soit *le même* qui possède ce champ, jouisse de tel bien. Et il faut que ce soit *le même* qui couche avec la même, et *la même* avec *le même*.

C'est en quoi la morale est « ennuyeuse », impose la monotonie.

☆

On confond le devoir et la loi d'un être ; mais c'est par ignorance de la loi d'un être, que le devoir a été inventé et dicté.

☆

Un homme qui prête un serment, qui jure de...

ne peut être qu'un homme aveuglé, ou bien un homme qui n'a pas une « vie intérieure » bien développée.

C'est un primitif.

☆

Les changements d'humeur donnent au prochain l'impression du mensonge alternant avec la vérité. Il prend toujours le mauvais pour le vrai.

Nous prenons toujours le pire pour le fond. Mais le fond n'est bon ni mauvais, et ne peut l'être.

☆

... Il ne faut jamais user à l'égard de l'adversaire — même idéal — d'arguments ni d'invectives que soi-même, seul avec soi, on ne supporterait pas d'émettre, qui ne se peuvent véritablement penser, qui n'ont de force que publique, qui font honte et misère dans la nuit et la solitude, c'est-à-dire dans les moments où rien n'empêche de tout comprendre, de tout reconstituer de ce qui est humain, — où nul public n'est à conquérir, à abuser ; nul autrui à confondre, à démonter, à détruire ; où ma propre insuffisance n'est cachée aux yeux de personne, et ma faiblesse aussi évidente que celle dont je pourrais me jouer.

Seul, — c'est-à-dire ayant pour demeure, ce qui

est et non ce qui paraît, — étant la demande et la réponse jointes, et non leur division...

Mais quelle est donc l'âme où rien de théâtral ne subsiste, où la lumière *personnelle* n'éclaire inégalement les différents personnages de la pensée ? Ici, tu peux bien voir que ton adversaire est fait de toi...

☆

Rien de plus commun et de plus aisé que d'attribuer à la force ce qui procède de la faiblesse. La violence marque toujours la faiblesse. Les violents en esprit s'arrêtent toujours aux premiers termes des développements de leurs pensées. Les termes délicats, les résonances fines leur échappent ; et l'on sait que dans cet ordre de finesse se dissimulent les indices les plus précieux et les relations les plus profondes.

☆

Il est étrange à penser que le poids, la puissance de notre vie passée sur notre vie présente, a pour mesure le temps probable de vie qu'il nous reste à accomplir, — car si ce temps est long — le passé s'y compensera, s'affaiblira soi-même. On sera capable de plusieurs existences.

Et donc — qui porte légèrement son passé, allonge sans doute sa vie.

☆

L'homme froid est par là le mieux adapté à la réalité, laquelle est indifférente. — Les choses n'avancent ni ne retardent, ne regrettent ni n'espèrent.

Et cette froideur de cet homme est aussi en harmonie avec le *temps,* c'est-à-dire avec la probabilité croissante du contraire de ce qui est et nous affecte.

☆

Nous sommes enclins à donner une importance *absolue* aux choses qui provoquent en nous des effets physiques tout *irrationnels*. — Entre tous les objets, celui que distingue un pincement au cœur qu'il nous cause, — une chaleur aux joues, — une sécheresse de la gorge, — un suspens de notre souffle, — celui-là *compte* ; il masque les autres ; et les anéantit sur le moment.

☆

Nous sommes d'autant moins *librés* que nous aurions plus besoin de l'être. Par exemple, dans le péril et dans la tentation. Notre liberté est diminuée par les parfums, par le temps qu'il fait, par le danger.

Mais observer que cette liberté dépend de tant de choses ; qu'elle augmente, qu'elle diminue ; que le nombre des actes, des solutions qui nous sont physiquement et moralement possibles à tel moment est bizarrement variable ; que l'énergie dont dispose ce qui juge en nous nos images, est une grandeur inconstante, — n'est-ce pas voir qu'elle n'est qu'une conséquence de circonstances qui la resserrent ou l'élargissent, c'est-à-dire une forme de la relation qui peut exister entre ce qui agit sur moi et ma réponse à cette action ?

— Si je me sens une douleur, ou une frayeur, ou quelque besoin, aussitôt moins de pensées, ou moins de domaines de pensée, me sont prochains. Dès que ces gênes s'évanouissent, je reconquiers mon étendue. Je reprends, en particulier, le pouvoir même de me créer moi-même une gêne voulue. Je suis libre : donc, je m'enchaîne. Je me donne une attention, un problème, des règles de jeu. J'abandonne un certain état. J'abolis le libre-échange et l'égalité des transactions de mon esprit. Je protège tel produit de l'industrie de mes sens, ou de ma pensée. Je spécialise *mon temps*.

☆

Le plus farouche orgueil naît surtout à l'occasion d'une impuissance.

☆

Psaume.

L'esprit libre a horreur de la compétition.

Il prend parti pour son rival.

Il sent trop que si les défaites nous abattent, les victoires nous suppriment.

Celui que peut abattre la défaite, serait aboli et dissous par la victoire.

Il répugne aux deux basses pensées que donnent la victoire et la défaite.

Tout ce qui empêche l'esprit de former toutes les combinaisons l'altère dans son essence, qui est de les former.

Il lui est impossible de haïr ce qu'il se représente librement en soi-même. Comment haïr ce que l'on façonne si nettement ?

Il se place sans effort à un certain point d'univers, dans un certain ordre de valeurs ; et la lutte aussitôt n'est plus une lutte ; et des adversaires ne sont que les membres antagonistes d'un même système qui se transforme et qui périra.

Il sent que les colères, les rancunes comme les joies, ce sont des pertes pour sa liberté, comme les cris et les tremblements d'une machine sont des pertes de son travail.

Mais il est attaché à un corps, à un camp ; à un nom, à des nerfs, à des intérêts.

Notre corps est un parti ; et convoiter le porte au plus haut de sa force. Notre existence est une injustice ; notre intelligence est une offense, par elle-même ; et peut-être la plus amèrement ressentie.

☆

La crainte que nous avons de l'opinion des autres repose sur notre faiblesse qui ne peut s'empêcher de nous la redire en nous contre nous, — c'est-à-dire sans défense possible.

Nous ne savons considérer un jugement comme inséparable de son auteur, et par là méprisable et *fini,* — comme un homme.

☆

Ne pas essayer d'agir sur la partie instable, sur la surface inconstante des esprits, sur ce que les hommes croient croire et pensent penser ; mais sur ce qu'ils sont. Et ils sont, eux et leurs pensées, sujets de leurs *masses cachées,* — soumis à leur durée plus grande que la durée de leurs variations, — à des lois simples, à de grosses conditions que les petits, proches et vifs phénomènes de leur sensibilité leur cachent à *chaque instant.*

Il est de la nature de la sensibilité qu'elle brouille l'*intensité* avec l'*importance,* donne à de

minimes causes des effets démesurés, taise longtemps d'immenses désordres.

☆

Qu'est-ce qu'un « intellectuel » ? — Ce devrait être un homme habile à se débrouiller à peu
près dans sa pensée ; qui la traite d'assez haut ;
qui ne se croie pas facilement ; qui est insensible
aux gros effets dans l'esprit par la connaissance
qu'il a de leurs causes ; sur qui l'éloquence n'a pas
de prise, sinon par l'art qu'elle peut contenir ;
pour qui les mots et les images sont une matière
familière...

Ne pas croire lui est naturel. Ou du moins, se
fait-il un devoir de ne donner jamais à ce qu'il
entend plus de force que cette parole ne lui en
porte, et n'en peut porter avec elle.

☆

Ce qui a été cru par tous, et toujours, et partout, a toutes les chances d'être faux.

☆

Commerce.
Je souffre atrocement. Quand on souffre trop,
vient l'idée d'utilité.

Tu souffres, — c'est *pour*. Tu souffres, donc tu payes. Tu achètes, tu rachètes. Étrange commerce.

Cette idée naquit donc *après* le commerce, et parmi des peuplades mercantiles. Justice est Balance. *Solvere poenas*. Vendetta : *vindicatio*.

Échange de douleur contre plaisir, de sensation subie repoussante contre sensation voulue. Mon acte est payé par l'acte de quelqu'un.

Et il y a des escomptes, des marchés à terme, des lettres de change.

Le christianisme a fait entrer Dieu même dans ces marchés. Toute la mythologie : Justice. Talion — Egalité — naît du commerce primitif. — L'État est le pivot d'une Balance — Dieu aussi. L'Éternité est une chambre de compensation.

Cette mythique est implantée au plus intime de nous. Nos mœurs sont échanges, et fondées sur des égalités conventionnelles. — Politesses. — *Veuillez agréer* (et moi aussi). Coup de chapeau pour coup de chapeau — dent pour dent.

Jusque dans l'amitié et dans l'amour, il y a comptabilité, sentiment de troquer, — crainte d'être *volé*. Doit et avoir.

Le *Do ut des...*

Quel coup de folie, et révolution, que d'oser renverser la balance ! Le christianisme a essayé, douté, échoué. Rendre le bien pour le mal, payer au centuple un verre d'eau. Ouvriers tardifs bien payés, mieux payés que les bons et exacts. Mais c'est toujours donner et recevoir. Toujours le comptoir et l'arrière-pensée ; le calcul, le livre de caisse, le Grand Livre...

Mais le Héros et l'Égoïste purs sont ingénument contre le commerce. Le Héros donne et ne reçoit rien. L'Égoïste vrai reçoit et ne donne rien. Le vrai Héros n'envisage aucune rétribution. Il conçoit que sa nature est de donner tout ce qu'il est, et qu'il obéit à sa nature, qui est son plaisir et sa loi. Le pur Égoïste est identique et de sens contraire. Toux deux s'acceptent. Mérite et démérite sont des couleurs qu'ils ne perçoivent pas. Le Héros n'est pas *libre* en soi — et pour soi. Il semble libre par contraste.

Lui et l'autre sont fermes dans la certitude que les grands actes, les grandes pensées, les souffrances, les jouissances ne servent à rien, ne doivent servir à rien ; rien payer, rien acheter...

☆

L'Église n'autorise pas le suicide. Elle ne nous empêche pas pourtant (elle nous conseille) de nous dire : je suis un sot, une bête, un misérable gredin : autant de suicides.

☆

Laissez les morts ensevelir leurs morts. Ceci veut dire qu'il ne faut s'occuper des morts. Jésus condamne les traditions.

☆

Mérite spirite.
Les spirites, avec leurs tables et leurs alphabets, ont cet immense mérite qu'ils mettent sous forme précise et brutale ce que les spiritualistes, les gens à âmes, dissimulent à eux-mêmes sous un voile de mots, de métaphores et d'expressions ambiguës.

C'est ainsi que les personnes du monde disent les mêmes obscénités que le peuple, mais en termes ternes, élégants et différés.

☆

L'ange ne diffère du démon que par une réflexion qui ne s'est pas encore présentée à lui.

☆

Dieu créa l'homme, et ne le trouvant pas assez

seul, il lui donne une compagne pour lui faire mieux sentir sa solitude.

☆

Par le mythe vulgaire du bonheur, on peut faire des hommes à peu près ce que l'on veut, et tout ce que l'on veut des femmes.

☆

Un miroir où l'on se regarde, et qui donne l'envie de se parler, — suggère, explique l'étrange texte : *Dixit Dominus Domino meo...* — lui donne un sens.

☆

Vieillir consiste à éprouver le changement du stable.

☆

L'animal n'a soucis ni regrets (j'aime à le croire). Il est sage ; il n'est pas intelligent. Il n'a peur qu'en présence du danger ; et nous, en l'absence.

L'homme a inventé le pouvoir des choses absentes — par quoi il s'est rendu « puissant et misérable » ; mais, enfin ce n'est que par elles qu'il est *homme*.

La suite de la vie conduirait à se permettre ce qu'on s'interdisait, à s'interdire ce qu'on se permettait ; et ceci, jusque dans l'ordre des goûts et des dégoûts.

Cette évolution se compose avec celle due à l'altération par l'âge. On pourrait admettre qu'une existence est accomplie, qu'une vie a rempli sa durée, quand le vivant serait parvenu insensiblement à l'état de brûler ce qu'il adorait et d'adorer ce qu'il brûlait.

☆

La vie est à peine un peu plus vieille que la mort.

☆

La mort abolit tout un capital de souvenirs et d'expériences ; annule je ne sais quel trésor de possibilité... Mais non directement.

Elle agit comme la flamme sur une feuille qui porte quelque dessin, détruit le papier ; et par là, tout ce qui était tracé, — tout ce qui pouvait l'être encore.

Mais il est des maux qui, respectant la matière

de cette feuille, altèrent bizarrement les contours des figures dessinées.

☆

Il ne faut demander au ciel que l'*euphorie*, et les moyens de s'en servir.

ÉBAUCHES DE PENSÉES

à Herbert Steiner.

UN

Je rêve quelquefois que l'intelligence de l'homme, et tout ce par quoi l'homme s'écarte de la ligne animale, pourrait un jour s'affaiblir ; l'humanité insensiblement revenir à un état d'*innocence* et d'instinct, redescendre à l'inconstance et à la futilité simiesque. Elle serait gagnée peu à peu à une indifférence, à une inattention, à une instabilité que la politique du monde actuel fait déjà concevoir. L'oubli rapide des malheurs de la guerre et de la démonstration de l'absurde par ses suites est un grand argument.

Toute l'histoire humaine, en tant qu'elle manifeste la pensée, n'aura peut-être été que l'effet d'une sorte de crise, une poussée aberrante, comparable à quelqu'une de ces brusques variations qui s'observent dans la nature végétale et qui disparaissent aussi bizarrement qu'elles sont venues.

Pour y penser d'un peu plus près, il faudrait
avant toute chose se faire de l'intelligence une idée
assez précise. En cherchant vaguement cette précision, je trouve (ce matin) à la base du développement combiné de la compréhension et de l'invention qui sont les deux actes de l'intelligence,
deux conditions très évidentes : dont l'une est la
faculté *individuelle* d'être éduqué par les faits ;
l'autre, la conservation et la consolidation de
l'expérience ; ce qui exige la pluralité des individus, la possibilité des échanges et l'existence d'ins-
truments d'échange.

A quoi une remarque s'ajoute : celle de l'inégalité des esprits. Cette dernière donnée doit jouer
un rôle essentiel dans le présent problème, car il
ne consiste qu'à réduire ou à rapporter à la notion
d'*écart,* l'idée que nous nous faisons de l'intelligence humaine.

☆

DEUX

Vint un temps que les choses du ventre et du
bas-ventre ne causèrent plus le rire, la honte, les
dégoûts.

Nutrition, élimination, fécondation se firent pures, comme elles sont en soi. Il n'y eut plus d'ombres dans le tableau des actes humains ; plus de secrets connus de tous, et gardés par chacun.

La mort perdit toute puissance imaginaire ; devint nette et condition de la vie. On comprit que la vie change d'individus comme l'on change de chemise. On comprit que le changement d'individus est aussi essentiel à la vie que le changement de la gorgée d'air qu'il respire est nécessaire à l'individu, ou que le changement de molécules d'eau l'est à l'onde qui se propage.

L'homme devint aussi pur que l'ange ou que l'animal ; car l'impureté n'est que le mélange des natures. Fatigué de n'être ni ange ni bête, il se résolut à être tantôt l'un tantôt l'autre ; tantôt « corps » et tantôt « esprit ».

Aux dépens de la honte, aux dépens du trouble et des ombres, aux dépens de la crainte, aux dépens de l'espoir, aux dépens de l'amour, se fit ce grand changement. La poésie disparut. On ne cultiva plus que l'algèbre et la sensation.

Ainsi périt l'étrange monde affectif, l'univers des émois, des passions, des résonances et des valeurs illégitimes. Le Royaume Nerveux fut divisé. L'âme s'évanouit. La pensée ne fut plus obsédée par les harmoniques et les parasites d'origine viscérale. Les fonctions permanentes ne furent plus déréglées par les événements ou par les idées. On interdit « aux choses » d'avoir plus de signification qu'elles n'ont d'existence, et plus d'action qu'elles n'ont de signification.

☆

TROIS

La passion de l'intellect veut tout abolir par l'acte de tout reconstruire.

L'esprit invente « l'Univers », afin de pouvoir d'un seul coup, d'un seul *mot,* affronter, enfermer, et donc consommer toutes choses. Il suppose l'Unité, dont il a besoin pour adversaire bien défini. Il cherche à tout résumer dans une seule « loi », comme cet empereur souhaitait que le genre humain n'eût qu'une seule tête.

C'est le même sentiment.

Il y a dans chaque esprit un ennemi mortel du monde. Les uns façonnent un Dieu pour lui imputer à crime cette création ; ou bien pour l'opposer à elle, et la pouvoir fuir vers le Pur, l'Absolu, le contraire du Tout, l'Un.

Les autres font de l'Univers un système complet en soi-même, qui leur semble toutefois se chercher dans leurs pensées une expression finale et symétrique de ses transformations, une sorte de figure mentale suprême : comme si, la multitude des phénomènes accomplis, une fois représentée à un instant, dans un instant, par un instant, — on pût ensuite — ou bien... *mourir en paix ;* ou bien commencer à s'occuper sérieusement de quelque autre objet, — moins futile et moins particulier que... *ce qui est.*

LITTÉRATURE

Les livres ont les mêmes ennemis que l'homme : le feu, l'humide, les bêtes, le temps ; et leur propre contenu.

☆

Les pensées, les émotions toutes nues sont aussi faibles que les hommes tout nus.

Il faut donc les vêtir.

☆

La pensée a les deux sexes ; se féconde et se porte soi-même.

☆

Préambule.

L'existence de la poésie est essentiellement niable ; de quoi l'on peut tirer de prochaines tentations d'orgueil. — Sur ce point, elle ressemble à Dieu même.

On peut être sourd quant à elle, aveugle quant à Lui — les conséquences sont insensibles.

Mais ce que tout le monde peut nier et que nous voulons qui soit — se fait centre et symbole puissant de notre raison d'être nous.

☆

Un poème doit être une fête de l'Intellect. Il ne peut être autre chose.

Fête : c'est un jeu, mais solennel, mais réglé, mais significatif ; image de ce qu'on n'est pas d'ordinaire, de l'état où les efforts sont rythmes, rachetés.

On célèbre quelque chose en l'accomplissant ou la représentant dans son plus pur et bel état.

Ici, la faculté du langage, et *son phénomène inverse,* la compréhension, l'identité de choses qu'il sépare. On écarte ses misères, ses faiblesses, son quotidien. On *organise* tout le *possible* du langage.

La fête finie, rien ne doit rester. Cendres, guirlandes foulées.

☆

Dans le poète :
L'oreille parle,
La bouche écoute ;

C'est l'intelligence, l'éveil, qui enfante et rêve ;
C'est le sommeil qui voit clair ;
C'est l'image et le phantasme qui regardent,
C'est le manque et la lacune qui créent.

☆

La plupart des hommes ont de la poésie une
idée si vague que ce vague même de leur idée est
pour eux la définition de la poésie.

LA POÉSIE

Est l'essai de représenter, ou de restituer, par
les moyens du langage articulé, *ces choses* ou *cette
chose,* que tentent obscurément d'exprimer les
cris, les larmes, les caresses, les baisers, les soupirs,
etc., et que *semblent vouloir exprimer les objets,*
dans ce qu'ils ont d'apparence de vie, ou de dessein supposé.

Cette chose n'est pas définissable autrement.
Elle est de la nature de cette énergie qui se dépense à répondre à ce qui est...

☆

La pensée doit être cachée dans les vers comme
la vertu nutritive dans un fruit. Un fruit est nourriture, mais il ne paraît que délice. On ne perçoit
que du plaisir, mais on reçoit une substance.
L'enchantement voile cette nourriture insensible
qu'il conduit.

☆

La poésie n'est que la littérature réduite à

l'essentiel de son principe actif. On l'a purgée des *idoles* de toute espèce et des illusions réalistes ; de l'équivoque possible entre le langage de la « vérité » et le langage de la « création », etc.

Et ce rôle quasi créateur, fictif du langage — (lui, d'origine pratique et véridique) est rendu le plus évident possible par la fragilité ou par l'arbitraire du *sujet*.

☆

Le *sujet* d'un poème lui est aussi étranger et aussi important que l'est à un homme, son *nom*.

☆

Les uns, même poètes, et bons poètes, voient dans la poésie une occupation de luxe arbitraire, une industrie spéciale qui peut être ou ne pas être, florir ou périr. On pourrait supprimer les parfumeurs, les liquoristes, etc.

Les autres y voient le phénomène d'une propriété ou d'une activité très essentielle, profondément liée à la situation de l'être intime entre la connaissance, la durée, les troubles et apports cachés, la mémoire, le rêve, etc.

☆

Tandis que l'intérêt des écrits en prose est

comme hors d'eux-mêmes et naît de la consommation du texte, — l'intérêt des poèmes ne les
quitte pas ni ne peut s'en éloigner.

☆

La Poésie est une survivance.

Poésie, dans une époque de simplification du
langage, d'altération des formes, d'insensibilité à
leur égard, de spécialisation — est *chose pré-
servée*. Je veux dire que l'on n'inventerait pas
aujourd'hui les vers. Ni d'ailleurs les rites de toute
espèce.

☆

Poète est aussi celui qui cherche le système
intelligible et imaginable, de l'expression duquel
ferait partie un bel accident de langage : tel mot,
tel accord de mots, tel mouvement syntaxique, —
telle entrée, — qu'il a rencontrés, éveillés, heurtés
par hasard, et remarqués, — de par sa nature de
poète.

☆

Le lyrisme est le développement d'une excla-
mation.

☆

Le lyrisme est le genre de poésie qui suppose

la *voix en action* — la voix directement issue de, ou provoquée par, — les choses que l'on voit ou que l'on sent comme *présentes*.

☆

Il arrive que l'esprit demande la poésie, ou la suite de la poésie à quelque source ou divinité cachée.

Mais l'oreille demande tel son, quand l'esprit demande tel mot dont le son n'est pas conforme au désir de l'oreille.

☆

Longtemps, longtemps, la *voix humaine* fut base et condition de la *littérature*. La présence de la voix explique la littérature première, d'où la classique prit forme et cet admirable *tempérament*. Tout le corps humain présent *sous la voix*, et support, condition d'équilibre de l'*idée*...

Un jour vint où l'on sut lire des yeux sans épeler, sans entendre, et la littérature en fut tout altérée.

Évolution de l'articulé à l'effleuré, — du rythmé et enchaîné à l'instantané, — de ce que supporte et exige un auditoire à ce que supporte et emporte un œil rapide, avide, libre sur une page.

VOIX — POÉSIE

Les qualités que l'on peut énoncer d'une voix humaine sont les mêmes que l'on doit étudier et *donner* dans la poésie.

Et le « magnétisme » de la voix doit se transposer dans l'alliance mystérieuse et extra-juste des idées ou des mots.

La continuité du beau son est essentielle.

✩

L'idée d'*Inspiration* contient celles-ci : *Ce qui ne coûte rien est ce qui a le plus de valeur.*

Ce qui a le plus de valeur ne doit rien coûter.

Et celle-ci : *Se glorifier le plus de ce dont on est le moins responsable.*

✩

A la moindre rature, — le principe d'inspiration totale est ruiné. — L'intelligence efface ce que le dieu a imprudemment *créé*. Il faut donc lui faire une part, à peine de produire des monstres. Mais qui fera le partage ? Si c'est elle, elle est donc reine ; et si ce n'est elle, sera-ce donc une puissance tout aveugle ?

☆

Ce grand poète n'est qu'un cerveau plein de méprises. Les unes lui tournent à bien et jouent les bonds étranges du génie. Les autres, qui ne diffèrent pas de celles-là, paraissent telles quelles, des sottises et des jeux de hasard. C'est quand il veut réfléchir les premières et en tirer des conséquences.

☆

Quelle honte d'écrire, sans savoir ce que sont langage, verbe, métaphores, changements d'idées, de ton ; ni concevoir la *structure* de la durée de l'ouvrage, ni les conditions de sa fin ; à peine le pourquoi, et pas du tout le comment ! Rougir d'être la Pythie...

RHÉTORIQUE

L'ancienne rhétorique regardait comme des ornements et des artifices ces figures et ces relations que les raffinements successifs de la poésie ont fait enfin connaître comme l'essentiel de son objet ; et que les progrès de l'analyse trouveront un jour comme effets de propriétés profondes, ou de ce qu'on pourrait nommer : *sensibilité formelle.*

☆

Deux sortes de vers : les vers *donnés* et les vers *calculés.*

Les vers calculés sont ceux qui se présentent nécessairement sous forme de *problèmes à résoudre* — et qui ont pour conditions initiales d'abord les vers donnés, et ensuite la rime, la syntaxe, le sens déjà engagés par ces données

Nous sommes toujours, même en prose, con-

duits et contraints à écrire ce que nous n'avons
pas voulu et que veut ce que nous voulions.

☆

Vers. L'idée vague, l'intention, l'impulsion
imagée nombreuse se brisant sur les formes régu-
lières, sur les défenses invincibles de la prosodie
conventionnelle, engendre de nouvelles choses et
des figures imprévues. Il y a des conséquences
étonnantes de ce choc de la volonté et du sentiment contre l'insensible des conventions.

☆

La rime a ce grand succès de mettre en fureur
les gens simples qui croient naïvement qu'il y a
quelque chose sous le ciel de plus important
qu'une convention. Ils ont la croyance naïve que
quelque pensée *peut* être plus profonde, plus durable... qu'une convention quelconque...

Ce n'est pas là le moindre agrément de la rime,
et par quoi elle caresse le moins doucement
l'oreille.

☆

La Rime — constitue une loi indépendante du
sujet et est comparable à une horloge extérieure.

☆

L'abus, la multiplicité des images produit à l'œil de l'esprit un désordre incompatible avec le *ton*. Tout s'égalise dans le papillotement.

☆

Construire un poème qui ne contienne que poésie est impossible.

Si une pièce ne contient que *poésie,* elle n'est pas construite ; elle n'est pas un *poème*.

☆

La fantaisie, si elle se fortifie et dure quelque peu, se forge des organes, des principes, des lois, des formes, etc., des moyens de se prolonger, de s'assurer d'elle-même. L'improvisation se concerte, l'impromptu s'organise, car rien ne peut demeurer, rien ne s'affirme et ne franchit l'instant qu'il ne se produise ce qu'il faut pour additionner les instants.

☆

Dignité du vers : un seul mot qui manque empêche tout.

☆

Un certain trouble de la mémoire fait venir un mot qui n'est pas le bon, mais qui devient le meilleur sans désemparer. Ce mot fait école, ce trouble devient système, superstition, etc.

☆

Une correction heureuse, une solution impromptue se déclare, — à la faveur d'un brusque coup d'œil sur la page mécontente et laissée.

Tout se réveille. On était mal engagé. Tout reverdit.

La solution nouvelle dégage un mot important, le rend libre — comme aux échecs, un coup libère ce fou ou ce pion qui va pouvoir agir.

Sans ce coup, l'œuvre n'était pas.

Par ce coup, elle est aussitôt.

☆

Une œuvre dont l'achèvement — le jugement qui la déclare achevée, est uniquement subordonné à la condition qu'elle nous plaise — n'est jamais achevée. Il y a instabilité essentielle du jugement qui compare l'état dernier et l'état final, le novissimum et l'ultimum. L'étalon de comparaison est inconstant.

☆

Une chose réussie est une transformation d'une chose manquée.

Donc une chose manquée n'est manquée que par abandon.

☆

DU CÔTÉ DE L'AUTEUR. — VARIANTES.

Un poème n'est jamais achevé — c'est toujours un accident qui le termine, c'est-à-dire qui le donne au public.

Ce sont la lassitude, la demande de l'éditeur, — la poussée d'un autre poème.

Mais jamais l'état même de l'ouvrage (si l'auteur n'est pas un sot) ne montre qu'il ne pourrait être poussé, changé, considéré comme première approximation, ou origine d'une recherche nouvelle.

Je conçois, quant à moi, que le même sujet et presque les mêmes mots pourraient être repris indéfiniment et occuper toute une vie.

« Perfection »
c'est *travail*.

☆

Si l'on se représentait toutes les recherches que suppose la création ou l'adoption d'une *forme*, on ne l'opposerait jamais bêtement au *fond*.

☆

On est conduit à la *Forme* par le souci de laisser au lecteur le moins de part qu'il se puisse — et même de se laisser à soi-même le moins d'incertitude et d'arbitraire possible.

Une mauvaise forme est une forme que nous sentons le besoin de changer et changeons de nous-mêmes ; une forme est bonne que nous répétons et imitons sans pouvoir la modifier heureusement.

La forme est essentiellement liée à la *répétition*.

L'idole du nouveau est donc contraire au souci de la *forme*.

☆

Véritables et bonnes règles.

Les bonnes règles sont celles qui rappellent et imposent les caractères des meilleurs moments. Elles sont tirées de l'analyse de ces moments favorisés.

Ce sont règles pour l'auteur, bien plus que pour l'œuvre.

☆

Si vous avez toujours du *goût*, c'est que vous ne vous êtes jamais risqué bien avant dans vous-même.

Si vous n'en avez point, c'est que vous vous y êtes risqué sans profit.

☆

Toutes les parties d'une œuvre doivent « travailler ».

☆

Les parties d'un ouvrage doivent être liées les unes aux autres par plus d'un fil.

☆

THÉORÈME.

Quand les œuvres sont très courtes, l'effet du plus mince détail est de l'ordre de grandeur de l'effet de l'ensemble.

✩

Est prose l'écrit qui a un but exprimable par un autre écrit.

✩

CONSEIL A L'ÉCRIVAIN.

Entre deux mots, il faut choisir le moindre.
(Mais que le philosophe entende aussi ce petit conseil.)

✩

Notre langue est si bizarre qu'elle nous réduit soit à faire une faute, soit à chercher des tours, pour éviter les conséquences hideuses de l'application des règles. Imparfait du subjonctif.

✩

Écrivains. Ceux pour qui une phrase n'est pas un acte inconscient, analogue à la manducation et à la déglutition d'un homme pressé qui ne sent pas ce qu'il mange.

✩

La mémoire est juge de l'écrivain. Elle doit

ressentir si son Homme conçoit et fixe des formes *oubliables ;* et l'avertir. Lui dire : ne t'arrête pas à ceci dont je sens que je ne le garderai pas.

☆

Dans le très beau style, la phrase se dessine — l'intention se devine — les choses demeurent spirituelles.

En quelque sorte, la parole demeure pure comme la lumière quoi qu'elle traverse et touche. Elle laisse des ombres calculables. Elle ne se perd pas dans les couleurs qu'elle provoque.

☆

« *Et mon vers, bien ou* MAL, *dit* TOUJOURS *quelque chose.* »

Voilà le principe et le germe d'une infinité d'horreurs.

Bien ou *Mal,* — quelle indifférence !

Quelque chose, — quelle présomption !

☆

Racine écrit à Boileau sur le II⁰ Cantique, et discute l'emploi du mot Misérables, au lieu de : Infortunés.

Ces minuties qui font le beau et sont l'atome du pur ont bien disparu du souci littéraire.

☆

LA SERVANTE AU GRAND CŒUR.

Ce vers célèbre qui tient tout un roman de Balzac dans ses douze syllabes, — on a été jusqu'à l'expliquer par une histoire de domestique !

La vérité est plus simple. Elle est évidente à un poète — c'est que ce vers est *venu* à Baudelaire, et il est né avec son air de romance sentimentale — de reproche bête et touchant.

Et Baudelaire a continué. Il a enterré la cuisinière dans une pelouse, ce qui est contre la coutume, mais selon la rime, etc.

☆

POÉSIE PHILOSOPHIQUE.

« J'aime la majesté des souffrances humaines » (Vigny). Ce vers n'est pas pour la réflexion. Les souffrances humaines n'ont pas de majesté. Il faut donc que ce vers ne soit pas *réfléchi*.

Et il est un *beau vers,* car — « majesté » et

« souffrances » forment un bel *accord* de deux mots *importants*.

Les ténesmes, la rage de dents, l'anxiété, l'abattement du désespéré n'ont rien de grand, rien d'auguste. Le sens de ce beau vers est impossible.

Un non-sens peut donc avoir une résonance magnifique.

De même, dans Hugo :

« Un affreux soleil noir d'où rayonne la nuit. »
Impossible à penser, ce *négatif* est admirable.

☆

Le critique ne doit pas être un lecteur, mais le témoin d'un lecteur, celui qui le regarde lire et être mû. L'opération critique capitale est la détermination du lecteur. La critique regarde trop vers l'auteur. Son utilité, sa fonction positive pourrait s'exprimer par des avis de la forme suivante : *Je conseille aux personnes de telle complexion et de telle humeur de lire tel livre.*

☆

Un ouvrage est une *section* d'un développement intérieur par l'acte qui le livre au public, ou par celui de le juger *achevé*. Le critique doit juger *cet acte* et non l'œuvre. Ainsi le magistrat ne juge pas le meurtre même ou le larcin commis, mais il juge l'état de celui dont les coupables rêveries ont dû tout à coup s'interrompre et se décharger dans une action criminelle. Il apprécie la résistance d'un certain *seuil*.

✦

Quand l'ouvrage a paru, son interprétation par l'auteur n'a pas plus de valeur que toute autre par qui que ce soit.

Si j'ai fait le portrait de Pierre, et si quelqu'un trouve que mon ouvrage ressemble à Jacques plus qu'à Pierre, je ne puis rien lui opposer — et son affirmation vaut la mienne.

Mon intention n'est que mon intention et l'œuvre est l'œuvre.

✦

L'objet d'un vrai critique devrait être de découvrir quel problème l'auteur (sans le savoir ou le sachant) s'est posé, et de chercher s'il l'a résolu ou non.

✦

Tout ce que l'on peut reprocher à un auteur, c'est de s'être déclaré satisfait quand on ne croit pas qu'on l'eût été soi-même. Il faut donc le louer quand on découvre par un document qu'il ne s'est pas contenté d'un état qui nous eût nous-mêmes satisfaits.

☆

POUR LA GALERIE.

Injures sont pour la galerie.

☆

CLARTÉ.

« Ouvrez cette porte. » Voici une phrase claire. — Mais si on nous l'adresse en rase campagne, nous ne la comprenons plus. Mais si toutefois c'est dans un sens figuré, elle peut être comprise.

Or, ces conditions si variables, un esprit d'auditeur *les ajoute ou non,* est capable ou non de les *fournir.*

☆

ET CÆTERA. ET CÆTERA.

Mallarmé n'aimait pas cette locution, — ce geste qui élimine l'infini inutile. Il la proscrivait. Moi qui la goûtais, je m'étonnais.

L'esprit n'a pas de réponse plus spécifique. C'est lui-même que cette locution fait intervenir.

Pas d'Etc. dans la nature, qui est énumération totale et impitoyable. Énumération totale. — La partie pour le tout n'existe pas dans la nature. — L'esprit ne supporte pas la répétition.

Il semble fait pour le singulier. Une fois pour toutes. Dès qu'il aperçoit la loi, la monotonie, la récurrence, il abandonne.

☆

Si les lecteurs n'étaient passifs, mais qu'ils fussent actifs, et eux-mêmes, la littérature changerait rapidement d'aspect et inclinerait vers... Le lecteur actif fait des expériences sur les livres — il essaye des transpositions.

☆

Il arrive sur bien des sujets que les hommes se comprennent entre eux bien mieux qu'ils ne se comprennent *soi-mêmes*. Les mêmes mots, obscurs pour le solitaire qui se perd dans leur « sens », sont clairs de l'un à l'autre.

☆

Un ouvrage est d'autant plus *clair* qu'il contient plus de choses que le lecteur eût formées lui-même sans peine et sans pensée.

☆

Ce qui plaît beaucoup a les caractères statistiques. Des qualités moyennes.

Le genre le plus bas est celui qui exige de nous le moindre effort.

☆

PLAIRE.

Songez à ce qu'il faut pour plaire à trois millions de lecteurs.

Paradoxe : il en faut *moins* que pour ne plaire qu'à cent personnes *exclusivement*.

— Mais celui qui plaît aux millions se plaît toujours à soi-même, et celui qui ne plaît qu'au peu, généralement se déplaît à soi.

☆

Lorsqu'une doctrine est attaquée par une autre,

il faut se dire toujours que si la vieille était encore inconnue et la récente en possession, la vieille aurait tous les charmes de la jeune.

Les perruques ont été poils follets et prodigieuse nouveauté.

Qui inventerait l'alexandrin dans un monde littéraire où le vers eût toujours été *libre,* passerait pour insensé et donc entraînerait les révolutionnaires.

Dire qu'on a inventé la « nature » et même « la vie » ! On les a inventées plusieurs fois et de plusieurs façons...

Tout revient comme les jupes et les chapeaux.

☆

La surprise, objet de l'art ? Mais on se trompe souvent sur le genre de surprise qui est digne de l'art. Il n'y faut pas de surprises finies qui consistent dans le seul inattendu ; mais des surprises infinies, qui soient obtenues par une disposition toujours renaissante, et contre laquelle toute l'attente du monde ne peut prévaloir. Le beau surprend, non par manque d'adaptation préparée, non par le seul choc ; mais au contraire par une telle adaptation que nous ne puissions trouver par nous-mêmes de quoi en faire et en concevoir une aussi parfaite.

☆

Le nouveau est, par définition, la partie périssable des choses. Le danger du nouveau est qu'il cesse automatiquement de l'être et qu'il le cesse en pure perte. Comme la jeunesse et la vie.

Essayer de s'opposer à cette perte c'est donc agir *contre* le nouveau.

Chercher donc le nouveau en tant qu'artiste, c'est ou bien chercher à disparaître ; ou chercher sous le nom du nouveau, toute autre chose, et se livrer à une méprise.

☆

Le nouveau n'a d'attraits irrésistibles que pour les esprits qui demandent au simple changement leur excitation maxima.

☆

Ce qui est le meilleur dans le *nouveau* est ce qui répond à un désir *ancien*.

☆

Les expériences les plus étranges, l'essai de vivre sous toutes les latitudes psychologiques, à

tous les étages de la sensibilité — ont enfin cet
effet de faire revenir à la *maison paternelle,* aux
coutumes qui à force d'antiquité avaient paru
étranges, aux règles qui avaient perdu leur raison
— pour enfin comprendre ces mystères trop fami-
liers et leur trouver des raisons, des charmes, des
profondeurs, une habitabilité nouvelle, comme
rajeunis par la perspective qu'ils ont prise dans
l'éloignement.

Il y a éternel conflit entre les choses produites
par l'accumulation, par les siècles, par la collabo-
ration de beaucoup d'hommes, de circonstances,
de temps, — d'une part ; et l'homme qui naît,
qui vient et se heurte à ces choses qu'il n'eût pas
inventées, — car personne en particulier ne les a
inventées.

☆

L'ŒUVRE ET SA DURÉE.

Tout grand homme s'entretient de l'illusion
qu'il pourra prescrire quelque chose à l'avenir ;
c'est là ce qu'on nomme *durer.*

Mais le temps est un rebelle, — et si quelqu'un
semble lui résister, si quelque œuvre flotte et
fluctue et n'est pas promptement engloutie — on

trouvera toujours que c'est une œuvre bien différente de celle que son auteur avait cru laisser.

L'œuvre dure en tant qu'elle est capable de
paraître tout autre que son auteur l'avait faite.

Elle dure pour s'être transformée, et pour autant qu'elle était capable de mille transformations
et interprétations.

Ou bien, c'est qu'elle comporte une qualité
indépendante de son auteur, non créée par lui,
mais par son époque ou sa nation, et qui prend
valeur par le changement d'époque ou de nation.

☆

La durée des œuvres est celle de leur utilité.

C'est pourquoi elle est discontinue. Il y a des
siècles pendant lesquels Virgile ne sert à rien.

Mais tout ce qui fut, et qui n'a pas péri, a ses
chances de revivre. On a *besoin* d'un exemple,
d'un argument, d'un précédent, d'un prétexte.

Et voilà quelque livre mort qui s'agite et re-
parle.

☆

Le meilleur ouvrage est celui qui garde son
secret le plus longtemps.

Pendant longtemps on ne se doute même pas
qu'il a son secret.

☆

Dans les arts et les sciences il y a des *Marche-pieds.*

Tantôt ce sont des « originaux » qui ont entrevu, qui n'ont pas saisi ni maîtrisé leurs espoirs. Ils n'ont fait que subir les éclairs de leur espoir.

Tantôt ce sont des patients, des acharnés qui ont accumulé les travaux et expirent sur un tas, sur lequel vient fondre quelque autre, et battre des ailes.

☆

Là où je suis arrivé avec peine, à bout de souffle, un autre surgit, frais et plein de liberté, qui saisit l'*idée,* la détache de ma fatigue et de mes doutes, la regarde dans sa généralité, sa légèreté, jongle avec elle, s'en fait un instrument et une parure, ignore le mal et le sang qu'elle a coûté.

☆

Nous usons comme de dons gratuits, de mille choses qui ont été payées par des vies humaines, de perles dont le pêcheur a vomi le sang, de livres échappés au bûcher...

✪

L'imitation qu'on en fait dépouille une œuvre de l'imitable.

✪

CLASSIQUE.

Aux anciens, le monde céleste apparaissait plus ordonné qu'il ne le semble à nous, et par là, totalement distinct du nôtre ; et dans les rapports de ces mondes, ils ne concevaient point de réciprocité.

Le monde terrestre leur apparaissait fort peu réglé.

Ce qui les frappait, c'était le hasard, *la liberté,* le caprice (car le hasard est la liberté des choses, l'impression que nous avons de la pluralité et de l'indifférence des solutions).

Le Fatum était chose vague, qui l'emportait sans doute à la longue et dans l'ensemble (comme la loi des grands nombres), mais prières, sacrifices, pratiques, étaient possibles.

L'homme avait encore quelque pouvoir dans les occurrences où son action directe est inapplicable.

Et donc, *mettre de l'ordre* lui paraissait *divin*.

Ce qui distingue l'art grec de l'art oriental, c'est que celui-ci ne s'occupe que de donner du plaisir, le grec cherchant à rejoindre *la beauté*, c'est-à-dire à donner une forme aux choses qui fît songer à l'ordre universel, à la sagesse divine, à la domination par l'intellect, toutes choses qui n'existent pas dans la nature proche, tangible, donnée, toute faite *d'accidents*.

☆

VARIATIONS SUR LE CLASSIQUE.

Un écrivain classique est un écrivain qui dissimule ou résorbe les associations d'idées.

☆

CLASSIQUES.

Grâce aux règles bizarres, dans la poésie française classique, la distance entre la « *pensée* » initiale et « *l'expression* » finale est la plus grande possible. Ceci est de conséquence. Un travail se place entre l'*émotion* reçue ou l'*intention* conçue, et l'achèvement de la *machine* qui la restituera, ou restituera une *affection* analogue. Tout est redessiné ; la pensée reprise, etc.

Ajoutez à ceci que les hommes qui ont porté cette poésie au plus haut point, étaient tous *traducteurs*. Rompus à transporter les anciens dans notre langue.

Leur poésie est marquée de ces habitudes. Elle est une traduction, une *belle infidèle,* — infidèle à ce qui n'est pas en accord avec les exigences d'un langage pur.

☆

Autre définition du classique — pas plus arbitraire.

Un art est classique s'il est adapté non tant aux individus, qu'à une société organisée et bien définie (quant aux mœurs). —

Le mariage en France, fut chose classique ; — il l'est encore un peu.

Il se faisait tout comme une comédie du répertoire. Il y avait des rôles consacrés. Le drame commençait par une rencontre fortuite et combinée. *Est-ce Toi, chère Élise ?...* Les parents causaient par notaires interposés.

☆

On confond paisiblement sous le nom de clas-

siques des écrivains qui disaient bien peu de chose
dans d'immenses phrases ; d'autres qui ont avec
naturel prononcé des vérités de bonnes femmes ;
d'autres qui montrent une vigueur vulgaire, ou
une redondance de plaidoyer, ou une élégance
exquise affectée ; d'autres qui observent un ordre
apparent très souligné, ou des règles de jeu.

☆

Classique et culture — au sens propre du mot
— taille, greffe, sélection, émondage.

Ainsi greffe de Grec sur Français — de Tacite
sur Jésuite, d'Euripide sur Janséniste.

Régressions brusques au fruit sauvage, ensuite.

☆

A partir du romantisme, l'on imite la *singularité* au lieu d'imiter, comme jadis, la *maîtrise*.

L'instinct d'imitation est demeuré le même.
Mais le moderne y ajoute une contradiction.

La maîtrise, le mot le dit, est de sembler com-
mander aux moyens de l'art — au lieu d'en être
visiblement commandé.

L'acquisition de la maîtrise suppose donc l'habitude prise de penser ou de combiner *à partir* des
moyens et de ne penser à une œuvre qu'en fonc-

tion des moyens : ne jamais aborder une œuvre par un sujet ou un effet imaginés à part des moyens.

Il en résulte que la maîtrise est parfois prise en défaut et vaincue par quelque *original,* qui, par chance ou par don, crée de *nouveaux moyens* — et semble d'abord mettre au monde un monde nouveau. Mais il ne s'agit jamais que de moyens.

☆

Le théâtre classique privé de la description. Est-il *naturel* qu'un *personnage* ait le pittoresque à la bouche ?

Un personnage ne doit voir que ce qu'il est nécessaire et suffisant qu'il voie pour l'action, — et c'est bien ce que la plupart des hommes *voient.* Les classiques par là sont justifiés et confirmés par l'observation. L'homme moyen est abstrait, c'est-à-dire qu'il se réduit (à ses propres yeux et aux yeux de ses pareils) — à sa préoccupation du moment. Il ne perçoit que ce qui se rattache à elle...

☆

Entre classique et romantique la différence est bien simple : c'est celle que met un métier entre celui qui l'ignore et celui qui l'a appris. Un romantique qui a appris son art devient un classique. Voilà pourquoi le romantisme — a fini par le Parnasse.

☆

Ce sont choses profondément différentes que d'avoir du « génie » et que de faire une œuvre viable. Tous les transports du monde ne donnent que des éléments *discrets*.

Sans un calcul assez juste, l'œuvre ne vaut — ne *marche* pas. Un poème excellent suppose une foule de raisonnements exacts. Question non tant de *forces,* que d'application de forces. Et à qui, appliquées ?

☆

Les vrais amateurs d'une œuvre sont ceux qui dépensent à la regarder en elle-même et en eux-mêmes, au moins autant de désir et de temps qu'il en fallut pour la faire.

Mais plus *intéressés* encore, ceux qui la craignent et qui la fuient.

☆

Une œuvre est faite par une multitude « d'esprits » et d'événements — (ancêtres, états, hasards, écrivains antérieurs, etc.) — sous la direction de l'Auteur.

Ce dernier doit donc être un profond politique attaché à mettre d'accord ces larves et ces actions intellectuelles concurrentes. Il faut ruser ici ; et là, passer ; il faut retarder, éconduire, supplier de venir, intéresser à l'ouvrage. — Évocations, conjurations, séductions — nous n'avons à l'égard de notre personnel et matériel intérieurs que des ressources de l'ordre magique et symbolique. La directe volonté ne sert de rien ; elle n'a pas de prise sur les hasards de cet ordre auxquels il faut opposer quelque puissance aussi imprévue, aussi vive et variable qu'eux-mêmes.

☆

Les théories d'un artiste le séduisent toujours à aimer ce qu'il n'aime pas et à n'aimer pas ce qu'il aime.

☆

La littérature oscille entre l'amusement, l'enseignement, la prédication ou propagande, l'exercice de soi-même, l'excitation des autres.

☆

On dit d'un livre qu'il est « vivant » quand il est aussi désordonné que la vie, vue de l'extérieur, semble l'être à un observateur accidentel.

On dirait qu'il ne l'est pas, s'il présentait une régularité, des symétries, des retours périodiques comme ceux qui paraissent dans la structure et les fonctionnements de la vie méthodiquement regardée.

Et donc ce qu'il y a d'essentiel à la vie, ce qui la supporte, la compose, l'engendre ou la transmet de chaque instant à chaque instant, — est (et doit être) absent des représentations littéraires de la vie, et leur est non seulement étranger, mais ennemi.

Il est remarquable que les conventions de la poésie régulière, les rimes, les césures fixes, les nombres égaux de syllabes ou de pieds imitent le *régime* monotone de la machine du corps vivant, et peut-être procèdent de ce mécanisme des fonctions fondamentales qui répètent l'acte de vivre, ajoutent élément de vie à élément de vie, et construisent le temps de la vie au milieu des choses, comme s'exhausse dans la mer un édifice de corail.

☆

THÉATRE.

Toute pièce de théâtre est une *charade*.

☆

Une loi du théâtre est que le spectateur puisse et doive toujours s'identifier, s'unir — à quelqu'un qui est sur la scène. Par quoi il fait partie de la pièce et la joue, — ce que signifie le mot *d'intérêt :* Être dans l'affaire.

☆

Il s'agit moins de soulever les hommes que de les saisir. Des écrivains et des poètes, les uns sont comparables à des chefs d'émeutes, à des orateurs qui surgissent et semblent les maîtres absolus du peuple en quelques instants, etc. Les autres arrivent plus lentement au pouvoir et s'en emparent en profondeur. Ils font les empires durables.

Les premiers déchirent les lois, mettent le feu aux têtes — prennent l'ampleur orageuse du ciel qu'ils illuminent d'incendies. Les autres font les lois.

☆

Une œuvre d'art (ou généralement, de l'esprit) est importante quand son existence détermine, appelle, supprime l'existence d'autres œuvres déjà faites ou non.

Elle sensibilise l'âme pour des œuvres toutes différentes, ou elle commence, ou elle termine, etc.

☆

Il y a dans la littérature une confusion des œuvres où l'on ne distingue pas tout d'abord celles qui agitent et excitent l'esprit, de celles qui l'approfondissent et l'organisent. Il est des œuvres *pendant lesquelles* l'esprit se plaît d'être loin de soi-même, et d'autres *après lesquelles* il se complaît de se retrouver plus soi que jamais.

☆

Indéfinissable. La gloire ne s'attache pas facilement aux œuvres que le public ne peut pas aisément se définir, qui n'entrent pas dans une simple catégorie. D'ailleurs quand cette complexité se rencontre non plus dans les œuvres, mais dans le caractère, la « sympathie » n'est pas excitée à l'égard des personnes qui ne se résolvent pas en peu d'épithètes.

Nos jugements impliquent ce postulat caché : *Tout individu* et *toute œuvre peut se définir par un petit nombre d'épithètes*. Si ce nombre croît, l'*existence* du livre ou de l'homme est compromise (dans l'univers de l'opinion).

☆

SUPERSTITIONS LITTÉRAIRES.

J'appelle ainsi toutes croyances qui ont de commun l'oubli de la condition verbale de la littérature.

Ainsi existence et *psychologie* des *personnages,* ces vivants *sans entrailles.*

☆

Remarque. La hardiesse impudique dans les arts (ce que l'on peut tolérer publiquement) croît en raison inverse de la précision des images. — Pas de duos d'amour en peinture publique.

En musique, tout est permis.

☆

La vie de l'homme est comprise entre deux genres littéraires. On commence par écrire ses désirs et l'on finit par écrire ses Mémoires.

On sort de la littérature et on y revient.

J'appelle un beau livre celui qui me donne du langage une idée plus noble et plus profonde.

Ainsi la vue d'un beau corps ennoblit notre idée de la vie.

Cette manière de sentir conduit à juger de la littérature en général, et de chaque livre en particulier, selon ce qu'ils supposent ou suggèrent de présence et de liberté d'esprit, de conscience, de coordination et de possession de l'*univers des mots*.

☆

L' « écrivain » : Il en dit toujours plus et moins qu'il ne pense.

Il enlève et ajoute à sa pensée.

Ce qu'il écrit enfin ne correspond à aucune pensée réelle.

C'est plus riche et moins riche. Plus long et plus bref. Plus clair et plus obscur.

C'est pourquoi celui qui veut reconstituer un auteur à partir de son œuvre se construit nécessairement un personnage imaginaire.

☆

Les impressions d'un singe seraient d'une grande valeur *littéraire*, — *aujourd'hui*. Et si le singe les signait d'un nom d'homme, ce serait un homme de génie.

☆

Un homme d'intelligence profonde et impitoyable pourrait-il s'intéresser à la littérature ? Sous quel rapport ? Où la placerait-il dans son esprit ?

☆

Construire un petit monument à chacune de ses difficultés. Un petit temple à chaque question. Sa stèle, à chaque *énigme*.

CAHIER

B 1910

Ces notes furent écrites au jour le jour en 1910. *On était fort loin de penser qu'on les donnerait enfin au public.*

On les a laissées dans leur ordre qui est un désordre. On en a respecté, — si c'est là du respect, — les incorrections, les défauts, les raccourcis. Le texte est identique à l'original, dont la reproduction photographique a été publiée par Édouard Champion. Il faut se prêter quelquefois aux monstrueux désirs des amateurs du spontané et des idées à l'état brut.

P. V.

Tard, ce soir, brille plus simplement ce reflet de ma nature : horreur instinctive, désintéressement de cette vie humaine particulière. Drames, comédies, romans, même singuliers, et surtout ceux qui se disent « intenses ». Amours, joies, angoisses, tous les sentiments m'épouvantent ou m'ennuient ; et l'épouvante ne gêne pas l'ennui. Je frémis avec dégoût et la plus grande inquiétude se peut mêler en moi à la certitude de sa vanité, de sa sottise, à la connaissance d'être la dupe et le prisonnier de mon reste, enchaîné à ce qui souffre, espère, implore, se flagelle, à côté de mon fragment pur.

Pourquoi me dévores-tu, si j'ai prévu ta dent ? Mon idée la plus intime est de ne pouvoir être celui que je suis. Je ne puis pas me reconnaître dans une figure finie. Et MOI s'enfuit toujours de ma personne, que cependant il dessine ou imprime en la fuyant.

☆

La « nature », c'est-à-dire la Donnée. Et c'est tout. Tout ce qui est initial. Tout commencement ; l'éternelle donnée de toute transaction mentale, quelles que soient donnée et transaction, c'est nature — et rien d'autre ne l'est.

☆

Philosopher est possible à cause de l'impossibilité de noter les intuitions.

Si, quand le penseur parle de l'Être, etc., on voyait exactement ce qu'il pense à ce moment, au lieu de philosophie, que trouverait-on ?

Qu'est-ce que le Cogito ? Sinon, tout au plus, la traduction d'un intraduisible état ?

☆

Il m'est parfaitement inutile de savoir ce que je ne puis modifier.

☆

Le pouvoir et l'argent ont le prestige de l'infini. Parce que ce n'est pas telle faculté (de faire) (et de défaire) que l'on désire précisément posséder. Nul ne convoite une puissance définie : ni l'exercice du gouvernement comme profession régulièrement tracée, ni l'or comme valeur d'objets bien déterminés.

Mais c'est le vague du pouvoir qui fait mon désir, parce que je ne sais jamais ce que je pourrais venir à désirer. Je ne recherche pas ce qui est énumérable. Je veux acheter ce qui n'est pas dans le commerce.

C'est pourquoi tout le monde regarde le possesseur de ce pouvoir, toujours, en heureux joueur. Une chance est présumée à l'origine de toute grande fortune. Nul travail défini ne semble mener à cette propriété infinie.

Enfin, c'est l'idée de l'abus du pouvoir qui fait songer si intimement au pouvoir.

☆

Qu'il est difficile d'avancer sur soi-même, d'édifier les jours et que chacun monte sur l'autre ; ou de composer les intérêts de son activité — sans un moyen extérieur, sans marquer dans autrui les repères de cet accroissement !

☆

Le « génie » est une habitude que prennent certains.

☆

Je cherche à me plaire.
J'ai l'ambition de l'ensemble.

☆

Terriblement jaloux de ce qui est digne de

moi : jamais de la chose, mais du pouvoir de la faire, — et surtout de ne pas la faire.

☆

On se tue, on se détruit tout entier pour ne pas savoir détruire précisément ce qui gêne, comme on brûle tout un bosquet pour abolir quelque nid de bêtes que l'on ne sait seulement atteindre.

Si l'on pouvait exterminer telle idée radicalement — ou son pouvoir, le carnage de tout un homme serait inutile.

☆

Si quelqu'un dit croire à telle chose (invérifiable) et si, en substituant à cette chose, toute autre de même genre, les motifs de croire allégués demeurent inaltérés, alors on peut conclure que le croyant prétendu ne croit pas, mais croit croire. Ainsi, changer 3 en 4 dans la Trinité.

☆

Se mirer, c'est affronter l'être et sa fonction. L'œil étonne le voir. Le tout se figure partie au *moyen* du miroir.

☆

Je trouve curieuse cette idée de la religion : qu'une faute commise enlève le bénéfice de la

pureté antérieure — comme *si* le mérite de
« l'âme » avait subi une « transformation irré-
versible ». Et que le repentir et les formes obliga-
toires effacent, au contraire, tout un passé détes-
table, ce n'est pas moins étonnant.

D'où tirer la puissance de tel jour d'une vie sur
les autres jours ? Celui qui est hors du temps,
pourquoi donne-t-il cette prééminence, pour le
mal ou le bien, au plus *récent* sur le plus *éloigné* ?... De ces deux mortels, l'un est sauvé,
l'autre damné. Mais la vie de l'un est identique à
celle de l'autre, prise en sens contraire.

☆

La littérature est pleine de gens qui ne savent
au juste que dire, mais qui sont forts de leur
besoin d'écrire.

Qu'arrive-t-il ? On écrit ce qui passe, ce qui ne
coûte rien et ne pèse rien. Mais à ces premiers
termes on substitue des mots plus forts, on les
charge, on les affine.

Toute la vigueur s'emploie à ces substitutions :
on monte à de singulières « beautés ».

Il faudrait que le système de ces substitutions
soit ordonné.

☆

Dans ma « Morale », si je m'amusais d'en

faire une, on pourrait faire tout le *mal* que l'on voudrait, à la condition expresse de l'avoir nettement voulu et prévu en tant que mal, sans rien s'être épargné de sa connaissance, étant descendu soigneusement dans sa figure, dans ses conséquences probables, dans le *bien* que l'on pense en tirer — et considérant, comme défendu absolu, toute fissure pour le remords, tout ce qui me ferait ensuite vomir mon passé et souillerait le jour présent — le lendemain.

Fais ce que tu veux si tu pourras le supporter indéfiniment.

☆

Le monde ne vaut que par les extrêmes et ne dure que par les moyens.

Il ne vaut que par les ultras et ne dure que par les modérés.

☆

Montre dans la même phrase son reflet, sa réponse, son néant, ses fondements.

☆

Il y a un imbécile en moi, et il faut que je profite de ses fautes. Dehors, il faut que je les masque, les excuse... Mais dedans, je ne les nie pas, j'essaye de les utiliser. C'est une éternelle bataille contre les lacunes, les oublis, les disper-

sions, les coups de vent. Mais qui est moi, s'ils ne
sont pas moi ?

☆

Le cyclone peut raser une ville, mais pas même
décacheter une lettre, dénouer ce nœud de fil.

☆

Ce qu'on apprend, à lire les vrais écrivains,
c'est des libertés. On reçoit le langage anonyme
et moyen, on le rend voulu et unique.

A lire les mauvais, on sent qu'il faut se gêner.

☆

Il n'est pas de plus efficace, ni de mode plus
beau de guerre que de se faire semblable à l'adversaire, tellement que l'on puisse le dépasser
dans sa propre nature, être plus lui que lui, et
plus près que lui de son propre modèle.

Puis, il suffira d'anéantir cette effigie ; et de
vaincre en redevenant soi-même.

☆

Chaque auteur contient quelque chose que je
n'eusse jamais voulu écrire. Et moi-même.

☆

Crois, ou je te tue éternellement.

— 193 —

☆

Il ouvre la porte, me regarde. Il croit n'être pas ressenti, n'avoir fait de bruit que pour soi-même, et que je demeure seul dans mon livre.

Mais moi, je le sens là, je me tiens et me laisse surveiller. Mais c'est moi qui l'observe, et mon dos immobile ne le quitte pas...

☆

Fruits ennemis.

L'arbre souffle des fruits si lourds, qu'il ne les peut retenir : il les perd ou il se brise. Va-t-il gémir qu'il y a deux *arbres* en lui ?

☆

Profiter de l'accident heureux. L'écrivain véritable abandonne son idée au profit d'une autre qui lui apparaît en cherchant les mots de la voulue, par ces mots mêmes. Il se trouve devenu plus puissant, même plus profond par ce jeu de mots imprévu — mais dont il voit instantanément la valeur — ce qu'un lecteur en tirera : c'est son *mérite*. Et il passe pour profond et créateur — n'ayant été que critique et chasseur foudroyant.

C'est de même à la guerre, à la Bourse.

☆

Le « ton » d'un auteur est chose capitale. On voit de suite par le ton, à qui s'adresse-t-il : s'il se figure un auditoire sans réflexion, un peuple, un garçon superficiel qu'il faut éblouir, étourdir, remuer — ou un défiant individu difficile à ouvrir — ou un de ces légers-profonds qui laissent tout dire, accueillent, saisissent, devancent, mais vite annulent tout ce qui fut écrit.

Les uns, dirait-on, ne songent jamais à la réponse silencieuse de leur lecteur. Ils écrivent pour les êtres béants.

... L'homme, le poète qui se livre le plus à l'inconscience, qui y trouve sa vigueur et sa « vérité », compte toujours de plus en plus sur la sottise de son lecteur.

☆

L'homme est devant être dépensé : ou par les autres, ou par soi. Et c'est ce que l'on appelle sa *valeur*. Et ôtée cette valeur, l'homme n'est rien.

☆

Teste chargé de liens.

Je sais tant de choses — je me doute de tant de connexions — que je ne parle plus. Je ne pense même plus, pressentant, dès que l'idée se lève, qu'un immense système s'ébranle, qu'un énorme labeur se demande, que je n'irai point jusqu'où je sais qu'il *faudrait* aller. Cela me fatigue en germe. Je n'aurai pas le courage d'entrer dans le détail de cet éclair qui illumine instantanément des années.

☆

L'homme n'est l'homme qu'à sa surface.

Lève la peau, dissèque : ici commencent les machines. Puis, tu te perds dans une substance inexplicable, étrangère à tout ce que tu sais et qui est pourtant l'essentielle.

C'est de même pour ton désir, pour ton senti-ment et ta pensée. La familiarité et l'apparence humaine de ces choses s'évanouissent à l'examen. Et si, levant le langage, on veut voir sous cette peau, ce qui paraît m'égare.

☆

Tant pour cent des livres conservés tirent leur valeur de la disparition des autres livres et des choses qui les accompagnaient d'abord. D'autres perdent la leur par les mêmes destructions qui sont indépendantes des œuvres et qui agissent sur une époque comme la tache d'encre sur un dessin.

CAHIER B

☆

Ce qui m'entoure, ce que j'ai acheté, ce que j'ai écrit, ce que j'ai imprimé, mes enfants, mes livres, mon désordre ou mon ordre — tout ceci me ressemble plus que je ne me ressemble. A plus de stabilité et de figure que mon moment.

☆

Ce sont les odeurs qui me donnent le plus la sensation de l'insolite. C'est par elles que je me trouve dans une ville étrangère. Rien de nouveau dans les rues inodores : et, si ma sensibilité olfactive vient à s'accroître, je me promène dans Paris comme un étranger.

☆

Ce livre qui te semble si divers m'accable par sa monotonie. Il t'apparaît comme le monde varié. Mais moi, je n'y déchiffre qu'une seule « relation » terriblement répétée. Elle digère tout le dictionnaire, sans doute ; mais elle est seule et toujours la même.

☆

Penser ?... Penser ! c'est perdre le fil.

☆

Toute morale repose, en définitive, sur la propriété humaine de jouer plusieurs personnages.

☆

La jeunesse est finie dès que ce que je pense s'imprime dans ce que je fais — tandis que ce que je fais s'incruste dans ce que je pense.

☆

Le désir doit faire son objet, tandis que bassement c'est l'objet qui se fait désirer.

☆

Apprends à lire ton esprit, et tout le reste vient par surcroît.

☆

Le bien et le mal intellectuels sont baptisés intelligence et sottise ; et les « intellectuels » ont une conscience de ces qualités tout analogue à celle que les moraux ont du bien ou du mal.

Là aussi, on se figure des justes et des réprouvés, des purs et des impurs. Mais il n'est plus question de liberté. Une seule fatalité règne. Une sorte d'inexistence relative punit les « méchants » de ce genre. Une sorte de multiplication de l'existence semble récompenser les « bons ».

☆

« Ma réputation... Ma ré-pu-ta-tion ! dit ce niais, n'est-ce pas le triste effort que je suis obligé de faire pour imiter l'image fausse que vous vous faites de moi ? »

☆

Pour les chrétiens.

La vraie Incarnation est ceci : l'idée de Dieu, la présence divine, par l'activité du sens et de l'organe du divin, s'expose dans le cerveau humain, se met à la merci des accidents innombrables dont ce cerveau est précisément le lieu, le théâtre, l'*auteur* approprié. Et tout balance le dieu dans ce Théâtre des Variétés.

☆

Utilité du mystère.

Ce qui est clair ne résiste pas à l'angoisse.

Seules, d'obscures formules permettent l'espoir, dans les troubles, quand tout ce qui est clair est terrible ou nul.

Le désespoir vient de ne savoir que faire, mais une parole magique nous permet d'agir en la disant, sans savoir qu'elle sera utile.

☆

Ma sensation d'immobilité, ma certitude d'être fixe dans ce fauteuil est — sans doute — précisément la sensation d'être emporté par la terre dans son mouvement. C'est le sentiment de cet emportement que nous appelons repos.

☆

La « vérité », la découverte du nouveau, est presque toujours le prix de quelque attitude anti-*naturelle*. La profonde réflexion est forcée. La remarque intempestive est souvent féconde. Il faut faire ou subir violence pour voir mieux ou autrement. La simplicité si importante des notions est horriblement coûteuse.

☆

Un navire : cela comporte et emporte tout ce qui peut conserver la vie humaine dans un milieu hostile.

☆

Voici une idée aujourd'hui. Elle est nette, bien lisible, bien en main. Je m'y plais.

Mais, tout à coup, je suis empoisonné ! Je m'aperçois que j'aurais pu l'avoir, cette bonne idée — il y a dix ans.

Le même sujet m'occupait, je ne savais rien de moins sur ce point ; et pourtant elle ne vint pas.

☆

Il y a toujours, dans la littérature, ceci de *louche* : la considération d'un public. Donc une réserve toujours de la pensée, une arrière-pensée où gît tout le charlatanisme. Donc, tout produit littéraire est un produit *impur*.

Tout critique est un mauvais chimiste qui cesse de se rappeler ce précepte, qui est absolu. Il ne faut donc jamais conclure de l'œuvre à un homme — mais de l'œuvre à un masque — et du masque à la machine.

☆

(Selon Thomas d'Aquin, l'Ævum est au Temps, ce que l'esprit ou l'ange est à la créature corporelle.)

☆

« Soyons justes ! » Le seul catholicisme a approfondi la « vie intérieure », en a fait un sport, un culte, un art, un but — et a pu aboutir par une voie systématique, par des opérations défi-nies, par l'usage réglé de tous les moyens, par éli-minations, associations, progressions, périodes — à organiser, subordonner, diriger les formes mentales, à créer des points fixes dans le chaos. C'est ce qui m'a frappé dès le début de ma réflexion — vers les 19 ans, je crois. Ce labeur incessant par quoi l'être est *relié* une fois de plus — en lui gît le secret de la seule et véritable philosophie qui est de créer un ordre transcendant — je veux dire qui comprend tout, et de faire un monde — d'absorber d'avance l'accidentel...

☆

Je voudrais avoir classé et rendu nettes mes propres formes, penser en elles... de sorte que chaque pensée porte les marques visibles de tout le système qui l'émet et soit manifestement une modification d'un système défini.

Sous ce rapport, l'homme est encore à l'état sauvage.

☆

L'essentiel, en toute chose, est toujours accompli par des êtres très obscurs, non distincts et sans valeur chacun. S'ils n'étaient pas, ou s'ils n'étaient pas tels, rien ne se ferait.

Si rien ne se faisait, c'est eux qui perdraient le moins.

Essentiels et sans importance.

☆

La grandiose Musique est l'écriture de l'homme complet.

☆

L'ennui n'a pas de figure.

☆

Il y a bien plus de chances pour qu'une rime procure une « idée » (littéraire) que pour trouver la rime à partir de l'idée. Là-dessus repose toute la poésie et particulièrement celle des années 60 à 80...

☆

Quelle longueur doit avoir cet ouvrage ?
Il y a toujours deux facteurs indépendants.

☆

Misères que le papier, l'encre, le verbe, la cadence. Ces riens plus durables que l'essentiel.

Dans l'essentiel, je trouve ordre et illumination, et ces dons s'opposent plus souvent qu'il ne serait désirable. Qu'importe un éclair tout bref ? Et qu'importe un demi-jour constant ?

☆

L'homme est parfaitement obligé de se regarder comme tout.

☆

Tout repose sur moi et je tiens à un fil. Cette vieille antithétique idée tire peut-être son pouvoir stupéfiant, son « sublime » empoisonné — de son incohérence *réelle*.

☆

Le moderne se contente de peu.

☆

Tu m'appelles doucement et par derrière moi. Je pense à toi.

Je ne doute pas que cette pensée ne soit spontanée.

Ta voix est venue si facilement que j'ai cru penser à toi de moi-même.

Elle n'a pas réveillé le chien de la porte. Je n'ai pas connu son bruit qui a pu agir sans être, mouvant silencieusement sa conséquence : une figure sans cause qui est la tienne.

Vers nulle origine lumineuse, je ne me détourne. Il n'y a pas eu de signe ; et tu n'es pas à l'extrémité d'un regard.

J'ai cru à un hasard, à un désordre, à un événement intérieur inanimé. J'ai cru penser à toi par accident ou par une mystérieuse et très délicate action, possible, si un certain vide se fait

autour de ma pensée, si je me retire de tout le
présent. Par la suite du jeu continuel de mes ressources, telle facette aura brillé.

Ainsi, et de même, parfois je crois vouloir, et
je me dresse, si l'ordre me vient sans désir.

☆

L'ironie. Mode qui use du signe contraire à
l'intention.

« Sourire amer. » Pourquoi ? Marquer une
liberté.

Ne pas sentir (ou vouloir sentir) comme il faudrait que l'on ressente.

Convention nouvelle...

Bonne en conversation qu'elle complique,
l'ironie.

Écrire me répugne. Écrire telle chose implique
que l'auteur n'a pu *sérieusement* la penser. Elle
tend directement à glorifier donc l'auteur. J'ex-
prime mon sentiment par l'autre qu'il est impossible qu'on m'attribue.

Et puis le lecteur songe à la peine que se donne
l'ironiste pour ironiser, et ce mal le bafoue bien
plus que ne fait tout son talent l'objet à rendre
ridicule.

Se donner la peine de faire semblant de mépriser — croire qu'on se donne un air de supério-

rité. Tout ironiste vise un lecteur prétentieux où il se mire.

☆

Frapper quelqu'un, c'est se placer à son point de vue.

☆

Le désir de « réalisme » conduit à chercher de plus en plus puissants moyens de *rendre*.

Le rendu mène à la technique.

La technique mène à la classification, à l'ordre.

L'ordre mène au systématique, à l'exploration complète, à l'usage le plus étendu de tous les moyens, à leur liberté générale plus grande que toute chose réalisée.

Et parti du reproduire exactement quelque fait, on arrive à une sorte de gymnastique qui comprend le « faux » et le « vrai ».

☆

Moi !... c'est-à-dire le Toi le plus constant, le plus obéissant, le premier éveillé et le dernier couché.

☆

Tel regard d'un autre personnage est une pièce si exacte dans ma vision interrogante, que je de-

vine toutes les pensées et arrière-pensées de lui,
dont je suis capable ; comme si ce n'était qu'une
clef m'ouvrant sur moi-même à son sujet.

☆

Recette pour détruire les philosophes.

On peut lire un livre de philosophie dans sa
suite, comme un développement possible. Mais on
peut, au lieu de le prendre ainsi, l'interroger ou
l'aborder de questions que l'on s'est faites et lui
demander des réponses. C'est là le danger des
philosophes et nul n'y résiste. Cette épreuve est
une épreuve de *fonctionnement*. On demande au
système de jouer entièrement et de s'adapter à un
besoin, non à un lecteur.

☆

Tantôt, le pays dans la fenêtre n'est qu'un tableau pendu au mur : tantôt, la chambre n'est
qu'une coque parmi les arbres qui m'empêche de
voir le tout, non d'y être. Elle n'est qu'un accident de perspective comme une feuille cache un
village.

☆

Donner de la valeur à celui qu'on est, tel qu'on
est, quel qu'il soit.

☆

Il est certains phénomènes que nous avons élucidés de sorte satisfaisante.

Or, les résultats de cette explication si claire sont devenus habituels et indifférents.

Il est sûr que le même effet se produirait si nous possédions de bonnes réponses pour tous les autres problèmes non résolus.

☆

Je crains le connu plus que l'inconnu.

☆

Donner aux choses des noms *suffisants*.

☆

« Artificiel » veut dire : « qui tend à un but fini ». Et s'oppose par là à *vivant*. Artificiel, ou « humain », ou « anthropomorphe », — se distinguent de ce qui est seulement vivant ou vital. Tout ce qui parvient à apparaître sous forme d'un but net et fini, devient artificiel, et c'est la tendance de la conscience croissante. C'est aussi le travail de l'homme, quand il est appliqué à *imiter* le plus exactement possible un objet ou phénomène spontané. La pensée consciente d'elle-même se fait d'elle-même un système artificiel. Mais, par la suite, une transformation inverse peut arriver.

Ainsi, la primitive science se donnait des objets définis. Vivre toujours, faire de l'or, *tout savoir* ; folies nettes.

Devenue *vivante,* il lui est absolument impossible de se trouver un but — ou même un problème tel, que résolu, la science soit achevée. Cela n'a point de sens.

Si la « vie » avait un but, elle ne serait plus la vie.

☆

L'homme intérieur ne peut se battre qu'avec soi-même ; et, en fait, se bâtonne sous mille figures diverses. Si j'assomme idéalement l'adversaire, c'est moi qui me frappe.

☆

« L'esprit » est si bizarre, si capricieuse fonction que l'on ne peut jamais décider si le manque de telle condition ou connaissance ne lui sert pas plus qu'elle ne le gêne.

☆

Il y a une manie de voir partout des « apparences ». Que l'on le veuille ou non, que l'on s'en aperçoive ou non, cette manie entraîne la notion

— 209 —

11

d'un « Réel » qui n'a d'autre motif que de s'opposer aux « apparences ».

Mais vite, on vient à penser que ce Réel ne vaut pas mieux que ses apparences. Et de deux choses pensées, A et B, il n'y a pas de raison... *durable* pour que A soit toujours l'apparence, ni B toujours le réel.

Le mépris du « Réel » suit immédiatement le mépris de l'apparence, comme le corps *suit* son ombre.

En somme, toujours domine une « Vérité », — mais ce n'est pas toujours la même.

☆

... Avec une précision extrême, en parfaite connaissance de cause, au point le plus net entre les points nets, à la limite de la lucidité habitable, sentir et prononcer le : *Je ne sais pas — J'ignore ;* et connaître ce moment comme véritablement le plus difficile, le plus parfait, le but par excellence, le centre où l'esprit de l'humain ne peut que de toutes ses forces tendre, et d'où il est furieusement repoussé...

☆

Idéal littéraire, finir par savoir ne plus mettre sur sa page que du « lecteur ».

☆

Une religion fournit aux hommes, des mots, des actes, des gestes, des « pensées » pour les circonstances où ils ne savent que dire, que faire, qu'imaginer.

☆

La moyenne exterminée.
Le plus lâche et le plus courageux ont les mêmes chances de se sauver, plus grandes que celles des êtres médiocrement braves, médiocrement craintifs.

☆

L'homme tend à nier ce qu'il ne *sait* pas affirmer (exprimer).

☆

Le pouvoir sans abus perd le charme

☆

Être dans le vrai, c'est-à-dire être au point a partir duquel l'on ne peut plus que se tromper. Tout mouvement jettera dans le faux ; et l'on se devra mouvoir nécessairement.

☆

Dans une pièce de théâtre, les personnages qui

se parlent font semblant de se parler, mais ils répondent moins aux discours des autres qu'ils ne répondent à la situation, c'est-à-dire à l'état (probable) du spectateur.

☆

Paroles inutiles — servent au contraire à décharger l'homme et particulièrement le soulagent de mille possibilités qui meurent de s'exprimer ; et mortes, le chemin de l'idée nette est libre.

☆

Le civilisé des villes immenses revient à l'état sauvage, c'est-à-dire isolé, parce que le mécanisme social lui permet d'oublier la nécessité de la communauté et de perdre les sentiments de lien entre individus, autrefois réveillés incessamment par le besoin. Tout perfectionnement du mécanisme social rend inutiles des actes, des manières de sentir, des aptitudes à la vie commune.

☆

Certains donnent cours à leurs manies qu'ils connaissent — en les soulignant d'eux-mêmes — ce qui leur procure la satisfaction et de la manie et de l'amour-propre.

☆

L'angoisse — revanche des pensées inutiles et

stationnaires, et des va-et-vient que j'ai tant
méprisés.

Angoisse, mon véritable métier.

Et à la moindre lueur, je rebâtis la hauteur
d'où je tomberai ensuite.

...Le jour commence par une lumière plus obscure que toute nuit — je le ressens de mon lit
même. Il commence dans ma tête par un calme
laissant voir toutes pensées à travers un état pur,
encore simples, assoupies, distinctes : d'abord,
résignation, lucidité, bien-être, comme dans un
bain primitif. Le matin premier existe comme un
uniforme son.

Bientôt, tout ce que je n'ai pas fait et que je
ne ferai jamais, se dresse et me retourne dans mes
regrets sur ma couche. Cela est fort, tenace
comme un rêve, et c'est clair comme la veille. Je
sens terriblement le bête et le vrai de ces mouvements. Inutiles, véridiques, sont ces démonstrations fatigantes. Il faut se mettre debout et dehors,
dissiper encore une heure dans les rues où s'ébran-
lent les ordures. Laisser même le supplice ina-
chevé.

☆

Tellement prévu — que la réponse à l'événement est presque tout *physique* — le psychique

devenu, par prévision, désormais simple intermédiaire nul.

☆

Le mal seul semble vrai. Le mieux devient signe du pire...

Douleur, Angoisse — pleines de réserves — et vos résumés inexacts et vos affreux raccourcis et vos siècles et vos éclairs et toutes ces impossibilités invincibles et ces vérités écrasantes assénées à coups acharnés par la simple durée d'alors. Toujours neuf est le mal. Toujours jeune la douleur ; et la terreur, *vierge toujours*.

☆

Il est impossible de dire au Monde, au Corps : je ne veux rien de toi, mais ne veuille rien de moi.

☆

Il est bon, pour se familiariser avec une science, d'aborder, comme l'on peut, ses problèmes les plus difficiles, à condition qu'ils soient simples dans leur position. Parce que, devant eux, la distance entre le débutant et les hommes les plus habiles est la plus petite. On n'est pas découragé par soi-même plus que par la demande.

☆

Il y a toujours un instant chez le « penseur »

où à la limite de l'élaboration, des éliminations, des fractionnements — au bout de l'analyse — c'est la première idée venue qui l'emporte — comme toute l'adresse du danseur de corde finit à l'extrémité juste de la corde. Il y a un moment où tout penseur est la victime de la fin de son effort fini, et de sa propre transformation (de penseur en patient).

☆

Une certitude peut détruire une certitude ; mais une idée ne détruit pas l'autre. Elle détruit sa présence, non sa possibilité.

☆

Remplacer enfin l'injustice clairvoyante, calculée, tel...

☆

Naturæ non imperatur nisi parendo.

L'art ira à des constructions pareilles à celles des ingénieurs. Innover dans la nature, au moyen de ses moyens. Ce que je puis ressentir par une « machine » appropriée. Le résultat sera un accroissement de moi, mais viable. Il n'est pas tiré directement de moi par les circonstances du hasard, mais plutôt déduit de mes propriétés en général ; et s'il est bien déduit, il défiera tout scepticisme et existera.

La rigueur ne s'atteint que par l'arbitraire.

☆

De certains murs.

Une douleur calmée artificiellement, se sent comme derrière un corps qui la cache en partie, la transmet en partie. Elle est comme diminuée, imminente, obtuse.

Ainsi est une idée ou un souvenir. On peut les sentir comme lacunes, — ou comme non éloignés, — comme imparfaits, — comme artificiellement non-présents.

Ne pouvoir se livrer à sa joie, à sa peine, à sa tendance — les met de même dans un état de contrainte.

Une idée qui ne me lâche pas, ne me poursuit pas tout entière.

Cette étrange division, et le sommeil. Si on la connaissait mieux, le rêve se comprendrait mieux... Car c'est une dissection que nous ne savons imiter.

☆

Tout à coup, par un mot d'imbécile, dans un miroir trivial — on se fait l'effet de ce que l'on est.

☆

Quelles grimaces, bonds, cabrioles et glousse-
ments doivent faire dans leur chambre les mi-
nistres, les présidents, les rois, pour venger leur
système de cette longue contention qu'ils lui
imposent !

Et celui qui s'écoute articulant de ces phrases,
trop grosses pour un individu, grevées de mots
énormes, impossibles à penser — quelles bêtises
intérieures se paye-t-il sous son manteau de bruit ?
Quels rachats ?

☆

Chaque individu ne conçoit pas directement
qu'il est homme — nul n'est homme — mais
centre, but, base et fin de tout. Pas plus qu'il ne
peut comprendre qu'il doit mourir, il ne peut
comprendre qu'il n'est qu'un détail.

Et enfin, il ne sait jamais ces choses que par
raison.

☆

L'esprit est hasard. Je veux dire que le sens
même du mot esprit contient, entre autres choses,
toutes les significations du mot hasard. Les *lois*
sont jouées, mimées par ce hasard. Mais il est
plus profond, plus stable, plus intime que toute
loi connue — consciente.

Toute loi que je pense est instable, bornée, contrainte.

☆

Il y a des vers qu'on *trouve*. Les autres, on les
fait.

On perfectionne ceux qu'on a *trouvés*.

On « naturalise » les autres.

Double simulation en sens inverse pour atteindre ce faux : la perfection... également éloi-
gnée et du spontané pur qui est n'importe quoi,
et de la production toute volontaire qui est
pénible, filiforme, niable par toute volonté autre ;
incapable de se soumettre autrui.

☆

Je n'aime pas l'éloquence. Mais écrite, elle
m'est positivement insupportable.

Pourquoi ? Je ne l'ignore pas. C'est qu'elle est
la forme adaptée à un nombre et à un mélange.

Ce n'est pas la forme de la pensée — etc.

Il n'y a pas de pensée directe *capable* de tel discours. Elle ne fait pas de longues phrases si sûres.

Ses longueurs vraies ne sont que tâtonnements.

☆

Une partie importante de la littérature moderne
s'est donnée à communiquer — non l'état final

des impressions, l'état d'avoir saisi, débrouillé, organisé, démêlé — mais l'état initial, celui d'avoir à comprendre, de retarder sur le choc, — l'état problématique, confus, sentimental et sensoriel.

Au lieu d'écrire les formules, elle écrit les données sous forme de fonctions implicites — un peu comme les définitions modernes se font par postulats indépendants et non plus par une seule phrase. Beaucoup comme la musique.

☆

« L'esprit » — tourne et retourne quelque chose qui n'a pas encore de nom dans sa même propre langue, une étrange substance ; jusqu'à ce qu'enfin ce « sujet », ce rien, ce moment, ce support universel, ce plasme — *ressemble* à un objet, touche à un objet, seuil, chance, hasard qui est connaissance !

☆

Les grands hommes meurent deux fois, une fois comme hommes, et une fois comme grands.

☆

Des écrits, les uns sont faits ou se trouvent faits pour agir momentanément et énergiquement.

Un article de journal est incomparable à un livre. D'autres sont pour action lente, durable, croissante. Faits pour la troisième, quatrième lecture...

Un article de journal peut être regardé comme restituant en trois minutes, une accumulation de deux heures.

Un livre peut restituer, en quatre heures, mille heures de travail. Mais mille heures de travail sont très différentes d'une somme de minutes. Les coupures, les discontinuités et les reprises jouent un rôle capital.

Et tel écrit vaut comme excitateur ou apéritif de la pensée, et tel autre comme satisfacteur, remplaçant, aliment de pensée.

☆

Un écrivain est *profond* lorsque son discours, *une fois traduit du langage en pensée non équivoque,* m'oblige à une réflexion de durée utile sensible.

Mais la condition soulignée est essentielle. Un habile fabricateur, comme il y en a beaucoup — et même un homme habitué à faire profond — peut toujours simuler la profondeur par un arrangement et une incohérence de mots qui donnent le change. On croit réfléchir au sens, tandis qu'on se borne à le chercher. Il vous fait restituer bien plus que ce qu'il a donné. Il fait prendre un certain égarement qu'il communique, pour la difficulté de le suivre.

La plus véritable profondeur est la limpide.

Celle qui ne tient pas à tel ou tel mot — comme *mort, Dieu, vie, amour,* mais qui se prive de ces trombones.

☆

Entre 2 individus, il y a 3 différences.

Soient a l'individu A vu de lui-même, a' *le même* vu de B même, etc. Alors on a : (a, b') (a', b) et pour un tiers (a'', b'').

☆

Idole, tout ce qui dure, se survit ; oublie ses conditions, s'imite. Amateurs de « belles choses ». Voyeurs de l'objet et ignorants de sa vraie beauté qui est génération, conquête et pas piété, pas bandelettes et préservation érudite.

Devenir idole est le but de tous les hommes distingués.

☆

Inventer, doit ressembler beaucoup à reconnaître un air dans la chute monotone de gouttes d'eau, dans les battements du train et les coups d'une machine alternative...

Il faut, je crois, un objet, ou noyau, ou matière — vague et une disposition.

Il y a une partie en l'homme qui ne se sent vivre qu'en créant : j'invente, donc je suis.

La marche générale des inventions appartient à ce type général : une suite de déformations successives, presque continues, de la matière donnée, et un seuil — une perception brusque de l'*avenir* de l'un des états.

Avenir, c'est-à-dire valeur utilisable, valeur significative, singularité.

☆

Si l'étonnement que les choses soient, et soient ce qu'elles soient, toutes les choses, avec leur ordre et leur désordre, leur machine et leur spontanéité, leur rigueur et leur hasard et leur liberté — n'est qu'une impression et *fait partie de ces choses* ; et s'il n'est pas profondément indice — mais fatigue, faux besoin — s'il ne signifie que l'on a un pied hors de tout, et une situation à moitié hors de ma somme,

alors, adieu la métaphysique

FIN

TABLE

EMM. GREVIN ET FILS — IMPRIMERIE DE LAGNY — 9-1953.
Dépôt légal : Juillet 1941.
No d'Édition : 3924. — No d'Impression : 3507.
Imprimé en France.